国际和平城市
丛书
**International Cities
of Peace**

国家出版基金项目
江苏省"十四五"重点图书出版规划项目
侵华日军南京大屠杀遇难同胞纪念馆资助项目

[德] 埃贡·施皮格尔 著
陈 民

陈民 译

国际和平城市丛书

主　编　刘　成
副主编　凌　曦　时鹏程

图书在版编目(CIP)数据

德国·德累斯顿 /(德)埃贡·施皮格尔,陈民著;陈民译. — 南京:南京师范大学出版社,2022.8
(国际和平城市丛书/刘成主编)
ISBN 978-7-5651-5349-5

Ⅰ.①德… Ⅱ.①埃… ②陈… Ⅲ.①德累斯顿—概况 Ⅳ.①K951.65

中国版本图书馆CIP数据核字(2022)第115790号

丛 书 名	国际和平城市丛书
丛书主编	刘 成
丛书副主编	凌 曦 时鹏程
书 名	德 国·德累斯顿
著 者	[德]埃贡·施皮格尔(Egon Spiegel) 陈 民
译 者	陈 民
策划编辑	徐 蕾 郑海燕
责任编辑	徐 蕾 向 磊
书籍设计	瀚清堂
出版发行	南京师范大学出版社
地 址	江苏省南京市玄武区后宰门西村9号(邮编:210016)
电 话	(025)83598712(编辑部)83598919(总编办)83598412(营销部)
网 址	http://press.njnu.edu.cn
电子信箱	nspzbb@njnu.edu.cn
照 排	南京私书坊文化传播有限公司
印 刷	上海雅昌艺术印刷有限公司
开 本	889毫米×1194毫米 1/32
印 张	9
版 次	2022年8月第1版 2022年8月第1次印刷
书 号	ISBN 978-7-5651-5349-5
定 价	50.00元
出 版 人	张志刚

* 南京师大版图书若有印装问题请与销售商调换
* 版权所有 侵犯必究

总 序

《国际和平城市丛书》第1辑包括五座城市,它们有个共同点:在历史上都历经了沉重的战争创伤,形成了几代人的集体记忆。我们必须将这样的历史铭记于心。只有深刻记住曾经的苦难并以此为镜,才能避免历史悲剧的重演。我们对创伤的记忆与认知非常重要,记忆方式会影响记忆内容的真实性和持久性。历史证明,创建和平是对苦难历史最好的记忆和修复。当一座城市的创伤记忆升华为人类共同的记忆,我们对过去灾难的认知就可以超越陈规定型的政治记忆。唯此,痛苦的历史才能与未来的和平相连,才能促成昔日敌对双方的和解,从而为创建人类命运共同体增添希望。历史表明,和解不仅意味着双方交换对历史的看法和经验,也呈现了双方共同创造面向未来的新观念和分享新经验的过程。从这个角度看,和解是一种满足彼此需求的思想和力量。创建和平,基于战争遗产打造和平城市,可以弘扬这种思想和力量。这是我们编写这套丛书的初衷与缘由。

丛书遴选的五座城市都在积极创造与构建和平文化。南京是中国第一座国际和平城市，创建了聚焦积极和平的国际和平论坛；德累斯顿对德国战争经历的反思加强了国内与国际和解；广岛带动了日本民间的反核和平运动；华沙致力于促进和解对话，形成了波兰内外共同的历史记忆；考文垂是英国和解城市的标杆。与此同时，战争记忆研究正在发生三个维度的变化：从英雄记忆转向创伤记忆；从战胜国记忆转向创伤国记忆；从国家的历史记忆转向多国共享的历史记忆。我们相信，随着越来越多的城市迈向和平城市之路，进而形成全球和平城市网络，和平的记忆终将超越战争的记忆。

这五座和平之城的建设过程各有特色，每座城市的实践都证明了一个真理：和平是通向和平的唯一道路。和平城市有着共同的宗旨，都在推广联合国教科文组织倡导的和平文化：致力于通过预防、调解和冲突转化来建设和平，提供关于非暴力、宽容、接纳、尊重与可持续发展的和平教育，促进不同文化之间的对话与和解。建设和平之城，需要世界各国与地区的政府、学校、社会团体、非政府组织和公民的共同努力。成为和平之城，需要融合历史、记忆和传承中的和平元素。想要实现这一目标，我们可以通过多种途径：预防冲突，维护和平，建设和平，和平研究，和平教育，以及所有能够促进城市进步与繁荣、世界和平与发展的和平活动。

和平学是这套丛书的学科基础。南京大学拥有中国唯一的联合国教科文组织和平学教席，是国内外公认的中国和平学的中心。中国和平学的发展得到了全球众多机构和个人的鼎力相助，没有他们的支持，和平学不可能在中国发展起来，也就不可能有这套丛书的问世。这套丛书的编写历时十年，一路走来历经曲折，困难重重。所有作者、译者和编辑都付出了最大努力，克服了种种障碍，呕心沥血地打造出这套集真实性、学术性、创新性和可读性于一体的作品，以飨读者。

这套丛书是理解文化创伤和历史记忆影响的一次有益尝试。对其中的不足与疏漏之处，我们诚挚欢迎读者们给予批评和指正。

刘 成
南京大学历史学院教授
联合国教科文组织和平学教席主持人
2022 年 8 月

序

2011年夏，我陪同事刘成教授及其夫人何岚女士来到一座德国城市。这座城市历经二战的洗礼，时至今日，依然随处可觅战争遗痕，它就是德累斯顿。我与德累斯顿有着非常特殊的联系，世纪之交时，我在这里开启了第一段教职生涯。

我们一同参观了德累斯顿工业大学，游览了许多著名景点，也寻觅了一些毁于二战的历史遗迹。我们不禁发现，南京市民在1937—1938年遭遇日军的侵略，与德累斯顿在1945年2月13日至15日遭受的英美空军联合轰炸有很多地方值得比较与探究。尽管南京大屠杀和德累斯顿轰炸之间存在着种种差异，也有着各自特定的军事政治背景，但它们有一个共同点：战争都对民众造成了难以言喻的伤害，时至今日，幸存者及其后代仍在面对或承受这种痛苦。

还在德累斯顿时，我们就决定以两座城市战前的历史和战后的重建为背景，对其遭遇的破坏进行个案分析和比较研究。放眼世界，我们不想仅局限于此，于是也将目光投向考文垂和广岛，它们也是遭遇空袭、毁于战争的典型。后来，我和刘成又一同去了华沙，我们决定将华沙也纳入研究计划，因为这座城市同样在二战中遭遇重创，约80%的建筑被毁。

那么，是不是也要考虑斯大林格勒和格尔尼卡，甚至要对其尤为关注呢？又或者是否还要考虑其他城市？如果从破坏程度来说，比起考文垂和德累斯顿这些二战中遭遇重创的代表性城市，其他一些城市因各种因素遭遇破坏的程度更甚。感谢那些专业和非专业的研究人员，包括德国的研究人员，他们对世界大战的破坏程度和重建工作（包括很多小城市）进行了不同程度和范围的系统研究，为在特殊意义和普遍意义上考察战争及其对当地造成的影响奠定了非常重要的基础。

如果换个视角进行回顾呢？我们不希望本书回顾战争时只是单纯地抱怨和指责，而希望它至少能捕捉和传达部分积极的反应。这种积极的反应就是主观能动性，能让人们理解并有能力对抗巨大的破坏和至深的苦难，勇敢走出混沌，尝试新的开始。即使是最残酷的战争，也不可能长久地阻隔建设和重建，在战前繁荣和战后复兴间画上休止符，这一点毋庸置疑。破坏于人类而言，既不是序曲，也不是终章。破坏，一直只是衍生于无意义的欲壑难填、盲目自大、恋尸癖和渎神的插曲。破坏缺乏理性，即使总是试图披上政治正义的外衣，妄图以此瞒天过海；破坏也不是所谓健康肌体不可避免的疾病。在这本书中，我们的观点难免粗疏。这正是我们重新审视的好时机，战争总是一种毫无意义、适得其反和表面化的解决之道，德累斯顿就是其代表。

要特别强调，本书不是一本有关德累斯顿的旅游指南，也不是又一本关于德累斯顿成为战争尤其是1945年轰炸牺牲品的控诉。本书的深层意义在于，作者通过精心挑选的历史案例，用历史视角和自我认知阐明德累斯顿走出轰炸创伤、建设性构建战后和平城市的历程。

感谢我的秘书格达·比辛女士，她对本书的写作给予了大力支持。她不仅收集了丰富多彩的图片资料，对每张图片的出处加以详细说明，而且耗费了大量时间和精力来处理版权事宜。

本书中文版的出版，要感谢我的同事、南京大学德语系的陈民老师。我和刘成教授都非常感谢她，她在百忙之中利用有限的时间进行了翻译工作。此外，她还从语言、内容和教育意义上对我从德国作者视角撰写的书稿进行了修改，便于对本书文化背景不是很熟悉的读者阅读和理解，从而更为深刻地体会其中的意义。没有她的参与，本书将无法如期出版。我对她的全力合作致以最崇高的谢意，因此本书中文版将以我们两人的名义出版。

此外，我还要特别感谢历史学 Nikolas Krause 博士，他高效地将本书的德语版译成英文版，多次反馈给我一些优化建议，并与我一起商议修改。

最后，诚挚地感谢南京师范大学出版社的多位编辑，她们为出版这套意义深远的丛书作出了重要贡献。

埃贡·施皮格尔

2021 年夏
南京 / 费希塔

目 录　　　　　　　　　　　　　　　　　Contents

001
总序

004
序

010
前言

012
第一章　战前的德累斯顿

一　历史发展　　016
二　建筑与艺术　021
三　地理风貌　　068
四　社会状况　　086

096
第二章　战时的德累斯顿

一　关于战争　　100
二　战时生活　　136
三　二月轰炸　　141
四　象征意义　　163

第三章 战后的德累斯顿

一 生存与毁灭 170
二 清理废墟 172
三 战后重建 175
四 城市的政治化 190
五 和平建设 199

结语

主要参考文献

译后记

前 言

1989年底开始,二战后分裂的德国重新走向统一。今天,两德统一已过去30多年,在二战接近尾声时遭遇轰炸的德累斯顿浴火重生,昔日辉煌今又重现。

据统计,德累斯顿代表性建筑之一的圣母大教堂,仅复建后两年半内就有约500万人参观。这不仅意味着一座惨遭战争破坏的历史古城得以重建,而且象征着一座反战与和解的纪念碑耸立在人们面前,那些战争遇难者的命运提醒着人们:要珍爱和平。

研究表明,二战中德累斯顿共有22700—25000人丧生,这些数字令人触目惊心。只有从和平学视角尝试回首那段恐怖岁月,打破那种集体梦魇,这些数字才真正具有意义。这种尝试必须将这层意义视为独一无二,并将对德累斯顿重要历史遗产的暴力摧毁置于二战整体框架之下。

德累斯顿是遭受军事暴力蹂躏的典型,其他众多的暴力及战争对生命的仇视,也大体如此。本书的论述立足于积极和平学的视角,对部分主观情感程度较高的争论进行了客观分析。从这一视角,本书既探讨了德累斯顿被纳粹主义笼罩的过去,也如实叙述了它在1945年2月惨遭轰炸的史实,这二者之间息息相关。

本书旨在告诉读者,战争既不是序曲也不是终章。本书并非孤立地观照二战中德累斯顿重要历史遗产的被毁,还关注了德累斯顿轰炸前后的社会生活与城市发展,尤其是其战后和平进程的建构。

第一章
战前的德累斯顿

在呈现这座历史悠久的城市被轰炸的情景之前，我们先来回顾一下它的历史文化风貌，尤其是其城市建设的成就。德累斯顿被誉为"易北河畔的佛罗伦萨"，这一美誉充分体现了它在建筑与艺术上的辉煌成就。德累斯顿的城市形象能与文艺复兴的发祥地——意大利的佛罗伦萨相媲美，这就足以说明它拥有独特的、闻名遐迩的文化宝藏。

回顾文化名城德累斯顿的辉煌历史，我们就可以理解为什么德累斯顿会成为战时破坏的象征。从人员伤亡、被毁的城区或建筑看，德累斯顿并非德国众多遭遇轰炸的城市中最严重的一座，但它的遭遇无法比拟：一面是拥有迷人魅力，有着文化之都光环的城市；另一面则是美好被摧枯拉朽地瓦解，重要的历史遗产毁于突如其来、意想不到的灾难的城市。要理解这一点，有必要先回顾德累斯顿在战争中遭遇的创伤，了解历史真相。德累斯顿之所以遭遇轰炸，有其历史的必然，人们本不该对此感到惊讶。

"德累斯顿在二战即将结束时惨遭轰炸"，人们对这种说法已习以为常。或许，我们可以从它的逻辑角度来分说。根据史实，轰炸时间点在二战即将结束时，此时战争结束的迹象已显而易见，但"轰炸之后紧接着二战就迅速结束"的说法值得怀疑，轰炸发生时能否认为战争即将结束也值得商榷，当时舆论不排除战争还要持续很长时间的可能性。因此，"德累斯顿在二战即将结束时惨遭轰炸"的表述，可以被推翻。以结果来倒推历史事件是没有意义的，执行轰炸的时间点可能并非出于二战即将结束，而是出于军事策略的整体需要。

一

历史发展

在人类历史长河中,德累斯顿的城市起源可追溯至新石器时代。有证据表明,公元前5世纪这里就出现了第一座大型建筑。1206年,德累斯顿的名字第一次被文献记载。1216年,它作为一座城市被载入史册。早先,定居在此的是斯拉夫渔民。德累斯顿最初是渔民居住的村落,后来发展成商贾聚居之地,再后来又成为萨克森贵族的领地。1500年左右,德累斯顿居住着近6000人;18世纪上半叶,人口数才增长到6万多;19世纪中叶,德累斯顿的人口超过了10万。

1495年,德累斯顿几乎完全被大火烧毁。它虽然躲过了1618—1648年的"三十年战争",但未能逃过1349年、1540年和1552年瘟疫的侵袭。德累斯顿有一段不太光彩的历史,那就是1400—1700年发生的持续三个世纪的巫术迫害活动。1813年,拿破仑率军围攻德累斯顿,对城市造成了巨大破坏。19世纪中叶,一场反对在德累斯顿加冕萨克森国王的革命,即1849年5月3日至9日的德累斯顿五月革命被镇压。

此后直到二战爆发,德累斯顿都不曾成为战场,躲过了战争的浩劫。但在一战中,它也深受战争影响,不仅有大量士兵为国捐躯或负伤回乡,而且与德国其他城市一样,也经历了灾难性的物资短缺状况。不少民众在战争爆发之际渴望战时总动员[图1-1],

图1-1 1914年8月1日,德累斯顿人在德累斯顿指针报大楼前等待军事总动员的命令

但也有相当一部分人聚集在社会民主党的德累斯顿人民报大楼前激烈地表达反战情绪。战争爆发的前几天,3.5万德累斯顿人举行了反战游行,令人敬佩。然而在德国狂热的战争氛围中,德累斯顿的反战情绪很快被淹没。一战中,死亡的近1000万人中就有约200万德国人。仅在萨克森地区,战死的士兵数就登记了12万,还有5.3万人因疾病和营养不良而丧生。1914年10月,有一半的德国大学教师签署声明,支持德国的战时政策,其中包括德累斯顿工业大学和德累斯顿兽医大学的教师。仅在德累斯顿工业大学,就有322位教职工在战争中丧生。

德累斯顿是欧洲传统的政治中心之一，尤其在18世纪，它拥有欧洲最大的艺术收藏。尽管瘟疫与战争带来过疾苦和挫折，但它在16和17世纪还是进行了非常成功的城市建设。这些艺术收藏和城市建设很大程度上归功于选帝侯弗里德里希·奥古斯特一世（1698年后兼波兰国王）的特殊兴趣。德累斯顿曾用了半个多世纪的时间来修复18世纪中叶普鲁士军队带来的毁坏。拿破仑的围攻战之后，这座城市开始走上工业化发展之路。19世纪晚期，它发展成为德国最大的驻军城市之一，拥有相当庞大的军事建制。1918年十一月革命后，萨克森自由州成立。一战结束后，德累斯顿很快迎来了新的文化繁荣，并在艺术领域取得了令人瞩目的成就。

图1-2 德累斯顿战役（安托万·韦尔内和雅各·施维巴赫）

1933年起,德国纳粹党在德累斯顿对5000名犹太市民进行了残酷的迫害和屠杀。同年,纳粹党又发起焚书运动,查封和销毁文化资产,阻挠戏剧和歌剧的演出。1938年,德累斯顿的犹太教堂被烧毁,犹太市民被驱逐到集中营。他们被没收财产,遭受虐待。德累斯顿市区外建起集中营,数百名妇女在军工厂里被迫劳动。1933—1945年,德累斯顿地方法院曾判处了1000多起死刑,主要是针对纳粹政权的反对者,将他们送上断头台。

几个世纪以来,德累斯顿都是军事中心。这也是本书特别关注和强调的,直到二战结束,这里仍驻扎着大规模的军团。

德累斯顿保存了许多中世纪以来的防御工事。直到19世纪,这里一直存有不少相当重要的军事要塞,这一点从1756—1763年的七年战争中的德累斯顿攻取战和1813年8月的德累斯顿战役中得到印证[图1-2]。据文献记载,德累斯顿最晚在1299年就有了城墙,防御工事逐渐扩大,扩建了相对较矮的前城墙和要塞的钟楼。防御的要害部位是城门,随着火药的发明和大炮的发展,防御工事的设计必须能承受大规模炮击。此后,土制城墙在防护墙的建设中发挥了特殊作用。1809—1830年,德累斯顿的防御工事得到系统性加固。今天,作为防御工事的布吕尔平台仍是参观景点,被称为"欧洲阳台"。其他年代久远的防御工事则分布在城市的各个角落。今天,人们仍然能参观炮台下拱顶的地道,带有城垛和炮眼的要塞等。

离德累斯顿不远的柯尼施泰因要塞是欧洲大型的山地要塞之一，德累斯顿以东 30 公里处的斯托尔彭城堡群在军事史上也占有一席之地。

1998 年，德累斯顿陆军军官学校成立，作为德国陆军军官的培训中心，每年有 3500 名候补军官或军官在此参加培训。仅这一处就说明了德累斯顿在德国的军事政治大格局中的作用。此后，德累斯顿继承这一传统，努力在更大的军事格局中占有一席之地。这种努力在不远的将来又给这座城市带来厄运，如同因果循环，历史的巨轮注定碾碎一切，无人可以抵挡。

二

建筑与艺术

圣母大教堂、宫廷教堂、森伯歌剧院、德累斯顿王宫和茨温格宫,这几座文艺复兴时期、巴洛克时期和经济繁荣时期的宏伟建筑是德累斯顿的代表,因其建筑的巍峨、独特性和珍藏的艺术品而享誉世界。

几百年来,德累斯顿一直深具魅力,不仅吸引着有审美眼光和受过高等教育的人,而且吸引着众多欣赏美丽风景的游客。他们钟爱这里迷人的自然环境、建筑和城市氛围,在独特的艺术宝库中流连忘返。德累斯顿曾被誉为"易北河畔的佛罗伦萨",与文艺复兴的发源地相媲美。今天,德累斯顿在经历了大规模的战后重建后,这一称号又重现于世。

建 筑

德累斯顿的城市风貌,可通过几座非常重要的建筑来勾勒。它们曾是城市的地标,但只有在城市建筑群的整体映衬下,这些建筑才会给观众带来震撼人心的艺术魅力。再好的旅游指南也不能完全替代身临其境的游览。以下,我们将做简略介绍,为大家展示几座德累斯顿历史上的代表性建筑。

茨温格宫

茨温格宫是德累斯顿的标志性建筑[图1-3],巴洛克风格。其橘园建于18世纪初,建筑师是柏培尔曼,雕刻家为佩尔莫泽。橘园及其宫廷式的节日广场是巴洛克晚期宏伟的建筑之一,被认为是集建筑、雕塑、绘画于一体的艺术精品。茨温格宫在德累斯顿轰炸中被毁,战后不久得以重建。今天,人们可以在这里欣赏古代大师画廊、数学物理沙龙和瓷器藏品。

图1-3 茨温格宫,房顶似造型独特的波兰王冠

画 廊

它被称为"森伯画廊"或"森伯建筑"[图1-4],是由戈特弗里德·森伯(1803—1879)设计的博物馆,建于1847—1854年,模仿了意大利文艺复兴鼎盛时期的风格。这里展示着古代大师的画作和雕塑作品,在二战中遭到严重毁坏。2013—2019年,德国斥巨资对其进行了修复。

德累斯顿王宫

德累斯顿王宫建于15世纪末,在浪漫主义到历史主义的不同建筑时期多次整修,毁于二战,1980—1986年重建[图1-5]。早期,这里是萨克森国王和选帝侯的官邸。如今,这里成为博物馆,主要有老绿穹珍宝馆和新绿穹珍宝馆、铜版画陈列馆、钱币陈列馆、军械库和土耳其艺术收藏馆(世界上最重要的奥斯曼艺术收藏馆之一)等。

图1-4 从茨温格宫内院看森伯画廊

图1-5 德累斯顿王宫

图1-6 二战前的森伯歌剧院外景

森伯歌剧院

森伯歌剧院以建筑师戈特弗里德·森伯的名字命名,是宫廷歌剧院和国家歌剧院,建于1838—1841年,属于意大利早期文艺复兴风格[图1-6]。1869年,歌剧院毁于一场大火。建筑师森伯因参加了意图推翻萨克森国王弗里德里希·奥古斯特二世的五月起义而逃亡。火灾发生后,森伯由于禁令无法回到萨克森,在异国完成了歌剧院的新设计。1871—1878年,他的设计由其子曼弗雷德·森伯实现。剧院选址在德累斯顿历史悠久的市中心地带,离易北河咫尺之遥。1945年的德累斯顿轰炸中,歌剧院不幸被严重破坏。1977—1985年,歌剧院再次重建并重新开放。森伯歌剧院现已成为欧洲最华丽的歌剧院之一,每年演出约300场,吸引观众近30万。

圣母大教堂

圣母大教堂外部棱角分明，内部为圆形拱顶［图1-7］。它是拥挤的市中心中，最具纪念性的重要建筑之一。几经沧桑之后，圣母大教堂如今成为象征和平的伟大的巴洛克式建筑。教堂由德累斯顿市委托奥尔格·贝尔设计修建，建于1726—1743年。

或许是采纳了圆顶结构的设计建议，或许是出于专制主义自我展示的需要，又或许是萨克森选帝侯和奥古斯特大公的偏好所致，圣母大教堂的设计者用圆形穹顶结构致敬罗马的圣彼得大教堂和威尼斯的安康圣母大教堂。教堂的地基面积非常有限，为了在预算有限的情况下支撑这个重达1.2万吨的圆形穹顶，建筑主体由易北河的砂岩而不是木头建造而成，这对建筑师是一项不小的挑战，这座宗教建筑因此成为世界上最大的砂岩建筑。砂岩最终带来了噩梦，因为它不耐高温。1945年2月14至15日晚，德累斯顿被轰炸后，这座教堂最终完全崩塌，而在1938年它刚被重建过。两德统一后，在教堂的废墟上，政府用储存在城郊和新加工的石块按照原样复建，经过近十年的建造，圣母大教堂于2005年重新开放。

图 1-7　圣母大教堂，1898 年

宫廷教堂

从地点和时间上看,天主教的宫廷教堂(又称"圣三一教堂")[图1-8]和新教的圣母大教堂紧密相连。1739年,宫廷教堂开始建造,距圣母大教堂仅300米之遥。它被认为是德累斯顿巴洛克风格的代表性建筑之一,受萨克森国王弗里德里希·奥古斯特二世、萨克森选帝侯、波兰皇帝和立陶宛大公委托罗马建筑师加塔诺·加弗里设计建造而成。这座圣三一庇护下的德累斯顿-迈森教区的大教堂,在1945年的轰炸中遭遇了与市中心的其他建筑同样的命运:屋顶、穹顶和外墙都在爆破弹的冲击下坍塌。

图1-8 宫廷教堂，2011年

图1-9 二战前的塔申贝格宫

塔申贝格宫

18世纪初,巴洛克风格的塔申贝格宫建在德累斯顿的一座小山上[图1-9]。它是城市宫殿的代表,也是奥古斯特大公送给情妇的礼物。这座毁于空袭的建筑直到1992年还是废墟一片,其后重建耗资超过1.2亿欧元。1995年,塔申贝格宫改作商用,被改造为豪华的五星级凯宾斯基酒店,有200多个房间和套房。

耶尼则老烟厂

显然，德累斯顿曾有过这样的时期，一座模仿清真寺建造的带尖塔的工厂不仅没有引起不满，甚至被认为是可以接受的，产生了别具一格的广告效应。而且这种特殊风格的建筑也符合城市规划的要求，因为工厂只有符合城区的整体风格才能被允许建在住宅区里。在此背景下，烟草商雨果·齐茨在20世纪初决定建造一座工厂大楼，外表像清真寺，工业烟囱像尖塔，并以他的烟草产地命名。耶尼则老烟厂[图1-10]，这座日后令人惊叹的建筑最初堪称幸运，避开了风格过于独特的建筑通常都会遭遇强烈抵制的命运。二战给它留下了深刻的破坏痕迹。它于1996年修复，现在作办公楼之用。

图1-10 耶尼则老烟厂，1907—1912年

新城桥边的碉堡

碉堡建于1732—1755年，1890年起作为萨克森兵部所在地［图1-11］。它曾毁于战火，现存建筑为1978—1980年根据原样复建而成。

夏 宫

夏宫又称花园王宫［图1-12］，是1680年左右建造的萨克森选帝侯的避暑行宫，位于德累斯顿城市公园内，被视为德累斯顿巴洛克艺术史的重要开端。这里也曾遭遇轰炸，破损严重，其后建筑外部被重新修缮过。

图1-11 新城桥边的碉堡

图1-12 夏宫

图1-13 旧乡间别墅的楼梯入口

旧乡间别墅

旧乡间别墅建于1770—1776年，二战期间被毁，只剩下外立面[图1-13]。之后德累斯顿市政府斥巨资予以复建，如今成为市立博物馆和城市画廊。

图1-14 维岗别墅

维岗别墅

维岗别墅于1903年建造,宏伟壮观,因耗资巨大,又被称为"百万别墅"[图1-14]。这座建筑也未能逃脱被轰炸的命运,损毁严重。重建后,它被开发了多种用途。

德意志卫生保健博物馆

德意志卫生保健博物馆1912年由企业家和慈善家林格讷创建,致力于广泛意义上的健康教育。外观由建筑师威廉·克莱斯设计而成,体现了包豪斯风格[图1-15]。它毁于二战,在民主德国时期得以重建,世纪之交时翻新,所费不赀。今天,它每年吸引着约30万名参观者。与建造初衷一致,它不断推出富有特色的展览及各种活动,致力于青少年的卫生启蒙,推动健康教育。但不光彩的是,在纳粹党当权期间,它违背初衷,转而为种族主义意识形态服务。

图 1-15 德意志卫生保健博物馆，2017 年

黑勒劳公园城

巴洛克式建筑能从乏善可陈的周围环境中脱颖而出，展现出迷人的魅力。这种建筑通常受到政治和经济精英的追捧，浮华而壮观，但对巴洛克风格不感兴趣的人则会认为这种建筑过于甜腻而流于媚俗。因而在巴洛克大行其道之时，一部分人转而追捧非巴洛克式建筑。黑勒劳公园城这些建筑史上成功的独栋住宅及其他廉价住宅并非巴洛克式建筑，也不遵循等级制度。

这种"小房子"[图1-16]在建筑原理和实用性上都出类拔萃，构建了一种新型邻里关系，是工厂与工人聚居地的有机交融。这类住宅的倡导者

图1-16 黑勒劳公园城

为企业家卡尔·施密特，他不仅为工人及其家庭提供靠近工作场所的廉价住房，也关注他们如何融入社会。这种理念及其建设成果也被纳粹党挪用，并在意识形态上发挥作用。如今，黑勒劳公园城住宅区仍保存完好，继续履行它的使命。

人们每每提及德累斯顿，总会说到它璀璨的巴洛克风格和桥梁艺术，却常常忽略它在纳粹德国时期的一些历史建筑。有人认为，德累斯顿的纳粹印记会大大削弱它作为1945年二月轰炸受害者的形象，毕竟，这些打上纳粹印记的建筑无疑是纳粹政权肆虐的明证。1933—1945年，纳粹政权强势且迅速地占据了德累斯顿。

克洛采空军学校

克洛采空军学校1935年建于德累斯顿北部地区，其中包括一栋两层楼的讲堂[图1-17]。1936—1945年，德国空军的战斗机飞行员在这里接受训练。1919年《凡尔赛和约》中明令禁止此类做法，但它早在魏玛共和国时期就被秘密投入使用。这些德国未来的飞行员先在德国的轻型练习机里接受训练，1924—1933年又在《拉帕洛条约》背景下被送往俄国的空军基地接受战斗机训练，每年平均培训出约240名飞行学员。1935年，阿道夫·希特勒无视《凡尔赛和约》，下令建立空军，德累斯顿克洛采空军学校建成。这所学校具有典型的国土安全建筑风格，但奇怪的是，这所空军学校及其邻近的机场都在德累斯顿二月轰炸中幸免于难，这成为人们质疑轰炸正当性的重要证据。这说明轰炸显然不是专门针对与军事相关的目标的，而是一种纯粹的恐怖行动或战争罪行。

空军指挥部

在纳粹党当权时期，德累斯顿建造的新建筑不多，其中就包括空军指挥部[图1-18]。它建于1935—1938年，与德意志卫生保健博物馆的建筑风格相似。这里为德国国防军空军提供服务，监测军事和民用航空。

图 1-17 克洛采空军学校入口处

二战后，这里最初是州政府所在地；1959—1989年，被民主德国的国家人民军使用；如今，这里的一部分是德国联邦国防军的行政大楼，成为政治体系核心具有延续性的生动案例。首先是军事相关机构，然后是立法、司法和行政中心。一个纳粹政权建造的防空管制中心，首先被民主德国的军队使用，两德统一后顺其自然地被德国联邦国防军使用。

德累斯顿曾是第三帝国最大的军事驻地之一，这一事实与德累斯顿因文化成就而备受推崇的形象完全不符，也与人们普遍认为的德累斯顿在战争结束时被轰炸的印象不符。从历史角度看，甚至可以说按照军事战略，它必然会被攻击。"种瓜得瓜，种豆得豆"，这也适用于德累斯顿，它并非无辜的受害者，纳粹风格的建筑便是罪孽的证明。

马蒂亚斯·多纳特一直在寻找纳粹建筑的痕迹，而且收获颇丰。他发现建筑师将纳粹建筑的特点与当地的建筑特色相结合，并把这种建筑学上的混合风格视为一种和谐之美。希特勒非常欣赏棱角分明的新古典主义建筑风格，但这种风格并未在德累斯顿盛行，正是要归功于这些建筑师。暂且抛开道德评判来看，他们服务于第三帝国，并将他们对某些建筑风格的偏好带入新的项目中。多纳特对此指出，"法西斯建筑"这一广为流传的概念，并非出于现实，而是源于纳粹宣传的理想形象。如果今天在德累斯顿没有发现以艺术形式存在的纳粹建筑，这并不意味着纳粹风格不存在，事实正好相反。

威廉·克莱斯和恩斯特·扎格比尔这样的建筑师，尽管他们得到了希特勒的赏识，在第三帝国地位崇高，但在二战后的去纳粹化进程中只被归为随大流者。对他们来说，建筑师的未来大门还是敞开的。扎格比尔还负责了柏林滕博尔霍夫机场的建设，这座机场曾是世界上最大的建筑；他设计的德国空军建筑也被视为空军的现代化标志载入建筑史。

图 1-18 空军指挥部,1938 年

图1-19 计划兴建的纳粹州党部

纳粹州党部

虽然德累斯顿的纳粹州党部最终未能建成[图1-19],但其设计模型(威廉·克莱斯设计,1937年)显示了纳粹党建设计划的宏图野心,令人印象深刻。

这里建造的其他纳粹建筑还有州农民管理大楼和两万多套新建住宅等。值得一提的是,这些建筑是在短短的六年内完成的。二战爆发后,纪念性建筑和社会住房等的建设计划都被搁置。

艺术与文化

俯视德累斯顿,首先映入眼帘的便是标志性的巴洛克式建筑,代表了辉煌富丽的艺术成就。它们历经战争,部分遗存至今,但大部分毁于战火之中。德累斯顿的建筑与艺术的吸引力,仅从每年持续增长的游客数便可见一斑。德累斯顿本身就是一个文化宝库,拥有无数文化瑰宝。

像其他城市一样,德累斯顿以与自己有关的名人而感到骄傲和自豪。这些名人或在此出生,或在此生活,或曾活跃于此,或长眠于此。虽然德累斯顿的名人名单不长,但也颇有一些赫赫有名的名字为这座城市增光添彩。在此,本书列举其中部分名人,这种选择是主观的,那些未提及的名人同样值得我们敬仰。

卡纳莱托

德累斯顿引以为豪的艺术家是意大利都市风景画家贝纳多·贝洛托(1721/1722—1780)。在德国和波兰,他被称为"卡纳莱托"。他对德累斯顿城的描绘视角独特,对维也纳、都灵、华沙也是如此。这些画作可以在德累斯顿森伯博物馆的古代大师画廊欣赏到,那里收藏了大量的卡纳莱托的油画[图1-20]。

图 1-20 从城堡小巷眺望旧市场（卡纳莱托，1751 年）

弗里德里希

纪念卡斯帕尔·大卫·弗里德里希（1774—1840）的题词，总结了这位浪漫主义时期画家的观念："画家不仅要画眼前所见，还要画心中所见。如果他心中无物，自然也就会对眼前视而不见。"他出生于德国北部的格莱福瓦尔德，被视为德国早期浪漫主义和现代艺术（相对于巴洛克和古典主义）的先驱。自然和宗教、疫病和死亡及其寓意在他的作品中扮演着举足轻重的角色。1798年，弗里德里希搬到德累斯顿，1824年在此担任助理教授，他将自己的经历、感受和反思融入作品中［图1-21］，其后期作品与后来的现实主义风格渐行渐远。

图1-21 复活节的早晨（卡斯帕尔·大卫·弗里德里希，1835年）

图 1-22 奇维泰拉（阿德里安·路德维希·里希特）

里希特

生于斯逝于斯的阿德里安·路德维希·里希特（1803—1884）是地道的德累斯顿人，他是德国最著名的画家之一，也是德累斯顿艺术学院的风景画教授。里希特不仅留下了 2500 多幅木刻画、绘画、铜版画和书籍插画，还留下了一部传记。他开创性的晚期浪漫主义风格的风景画，其灵感来自家乡。他擅于描绘易北河的河流风光以及德累斯顿周边的美丽风景，与毕德迈耶尔的风格相似 [图1-22]。

奥托·迪克

二十世纪二三十年代,在德累斯顿活跃着一批颇有天赋的艺术家,他们在创作中部分使用未经加工的绘画材料,对现实加以描绘和再现。奥托·迪克(1891—1969),就是其中之一,德累斯顿应特别为他感到自豪。迪克的艺术创作令人印象深刻,不只是对表象的表达,而且通过创意将理念与表现形式相结合。他的作品反映了动荡时期的平民的生活面貌,曾在现代艺术博物馆和其他多地展出,充分表明了这位画家和版画家的国际认可度。

想象二战快结束时遭遇轰炸的德累斯顿,可以参照迪克的两部作品:一幅是《战壕》(1921—1923),还有一幅是三联组画《战争》(1932)。这两部作品中,迪克描摹了战争的惨烈。他从一个亲历者视角,将混乱和苦难再现于这两幅作品中。迪克认为,画家是世界的眼睛,他审视了战争的残酷现实,并清晰地传达了其中的痛苦。迪克犀利的观察和表达,正是源于他在一战中作为战争志愿兵的痛苦经历。

因为这两部作品，迪克不仅被纳粹政权指控为"堕落"的艺术家，而且失去了他在德累斯顿的教授职位。这并不奇怪，纳粹批评家对这些艺术作品中的和平主义思想和无政府主义内容感到愤怒，认为它们会消解士气。在他们眼中，这些作品无异于精神的退化和文化的堕落。他们出于种族主义理论的考虑，诋毁这些艺术家及其作品，并将这些作品列为"堕落的艺术"，巡回展出示众。1933年，德累斯顿也完成了这一所谓的"样本收集"过程，其后将这些艺术品在慕尼黑展出。克里斯托夫·楚施拉克指出，这种将艺术家的作品惩罚性示众的展览，鲜明地针对现代主义，针对德累斯顿桥梁社、德累斯顿脱离派1919社以及"德国艺术家革命倡导联盟"的左翼政治艺术家们的艺术，本质上是二流的精神奴隶艺术家与批判社会的艺术家二者之间对抗的结果。

1937年，"堕落艺术展"在慕尼黑开幕。从32家博物馆没收的650件作品，以一种羞辱和歪曲的方式向公众展出。该展览在其他12个城市巡回展出，吸引了200多万观众。而慕尼黑德国艺术之家展出的"伟大的德意志艺术展"却只有42万人参观。在对现代艺术（表现主义、达达主义、新写实主义、立体主义等）作品进行评判时，纳粹政权不仅仅宣传了所谓的"德意志艺术"，而且还从展览和博物馆中清除了所有"犹太–布尔什维克"的艺术作品以及其他与纳粹艺术观相反的非德意志作品。成千上万的艺术品被销毁或卖到国外。犹太艺术家和共产主义艺术家更是倍受迫害，遭到驱逐，被迫流亡，甚至被杀害。

凯斯特纳

这些名人中,堪称真正的德累斯顿之子的便是艾里希·凯斯特纳(1899—1974)。作为作家、记者和诗人,凯斯特纳在德累斯顿的伟大艺术家中占有一席之地。二战后,他的儿童文学作品《埃米尔擒贼记》《飞翔的教室》《两个小洛特》广为流传,享誉世界。早在魏玛共和国时期,他就因批判社会尤其是反军国主义的作品而声名鹊起。他直言不讳的反纳粹立场,导致他的书和其他许多人的书一样被禁。1933年,凯斯特纳甚至目睹自己的著作在德累斯顿被公开焚毁。二战后,他也一直忠实于和平主义路线。1951—1962年,他甚至在担任西德笔会主席期间,坚决反对康拉德·阿登纳及其政府的重新武装政策。今天,人们以凯斯特纳的名字来命名学校、街道和广场,以纪念这位正直的艺术家[图1-23]。2000年,在他诞辰101周年之际,为了表达对他的敬意,艾里希·凯斯特纳博物馆在德累斯顿开幕,这座博物馆以其新颖的设计吸引着来自世界各地的参观者。

图 1-23 凯斯特纳咖啡馆前的雕像

帕鲁卡

凯斯特纳生于德累斯顿,逝于慕尼黑。有一位伟大的女艺术家恰好相反,她生于慕尼黑,逝于德累斯顿,她就是格蕾特·帕鲁卡(1902—1993)〔图1-24〕。想要像她一样出现在1998年的"德国历史上的女性"系列邮票上,必须作出特殊贡献。格蕾特·帕鲁卡以舞蹈家和舞蹈教育家闻名于世。她对传统舞蹈和芭蕾舞持批评和审视的态度,并创编了一种特殊的舞蹈表现形式。除了在纳粹当政时期受限外,几十年来她一直深受欢迎,成就斐然。舞蹈对帕鲁卡而言,不是一种标准化的技巧,而是一种内心情感的表达。德累斯顿的帕鲁卡舞蹈学校让人们至今铭记这位"新艺术舞蹈"的杰出代表。

图1-24 格蕾特·帕鲁卡

魏格曼

在格蕾特·帕鲁卡之前,她的老师,同时也是表现主义舞蹈的先驱玛丽·魏格曼(1886—1973),就被印在了德国邮政局的邮票上。魏格曼出生于汉诺威,逝于柏林。她因舞蹈表演、舞蹈创作和舞蹈教育而闻名世界。她不主张将舞蹈置于音乐的支配之下,有时甚至在没有音乐的伴奏下跳舞,这使她获得了很高的知名度,尤其是在知识分子界。1920年,魏格曼在德累斯顿开办了现代舞蹈学校。

克雷佩尔

通过语言学家和政治家维克多·克雷佩尔(1881—1960)精心撰写的多本日记,尤其是通过他的《第三帝国的语言》,我们得以了解战前、战时和战后关于德累斯顿的真实议论和看法。克雷佩尔本人被时代的浪潮所裹挟,命运跌宕起伏。他原本为犹太教教徒,后皈依新教,从学校辍学后当了学徒,后来上了大学,最后通过考试,获得博士学位,1914年获得教授资格。1915年一战期间,他作为志愿兵服兵役。1920—1935年,他在德累斯顿工业大学担任教授,但在国外逗留期间,被德累斯顿纳粹党的州党部头目以个人名义剥夺了教授职位。1945年2月,他在德累斯顿遭遇轰炸时逃亡,同年再度回到德累斯顿,恢复教授职位。1950—1958年,他是民主德国文化协会在议会的代表,对德意志帝国、魏玛共和国、第三帝国以及战后德国分裂时的历史进行了整理和出版。

德累斯顿吸引了许多文学、音乐、绘画领域的杰出人物,他们曾短期或长期居住于此。1785年,弗里德里希·席勒到访德累斯顿。1789年,沃尔夫冈·阿玛德乌斯·莫扎特到访。1790年,约翰·沃尔夫冈·冯·歌德应艺术赞助人克里斯蒂安·戈特弗里德·克尔讷的邀请到访。理查德·瓦格纳(1813—1883),曾于1814—1827年和1842—1849年生活在德累斯顿,1849年参加了德累斯顿五月起义,之后被通缉。瓦格纳不仅在德累斯顿生活,也在这里沉迷于对音乐的狂热追求。卡尔·迈(1842—1912)是德国作品阅读量最多也是作品被翻译得最多的作家之一,1896年,他搬到了德累斯顿附近拉德博伊尔的一座别墅中。在完成了冒险文学的鸿篇巨制后,他成为一名和平主义者。1917—1931年,来自奥地利的奥斯卡·科柯施卡(1886—1980)定居德累斯顿,他是表现主义和维也纳现代派的画家、作家,并在德累斯顿艺术学院担任教授。

这个名单还可以继续列下去,包括艺术界的杰出人物,他们不只是暂时在德累斯顿逗留或在外围扎根。这里要特别提及一些艺术家,他们在二十世纪二三十年代的新写实主义和真实主义的标签下,以一种理性的、社会批评的视角对现实进行了不带幻想、不加修饰、原原本本和鞭辟入里的描写。他们是库尔特·克维讷、奥托·格里培尔和汉斯·格伦迪希等许多人。

新写实主义

我们不仅能在视觉艺术中,也能在建筑中看到新写实主义[图1-25]。这种建筑采用清晰的几何建筑立面,以其冷静的、不加修饰的形式,与表现主义加以区分,其特点是简单、实用和客观。不可否认,这与魏玛共和国时期发展起来的包豪斯风格有相似之处。尽管纳粹政权对新写实主义及其代表人物和内容进行了种种批判,但以新写实主义为特征的风格元素同样可以在那些致力于表现纳粹艺术概念的建筑中找到,如克洛采机场航站楼。现代大师画廊对新写实主义的推广作出了巨大贡献,举办过多次相关主题的展览。新写实主义作为德累斯顿的独特艺术风格,对德国乃至其他国家的艺术发展作出了重要贡献。

图1-25 新写实主义风格的萨克森泳池

绿穹珍宝馆

世界各大媒体的头条曾刊登过发生在德累斯顿的一桩盗窃案。2019年11月25日,盗贼用神秘手段闯入绿穹珍宝馆,从珠宝室的陈列柜偷走了无价之宝皇冠宝石。这桩艺术品盗窃案及其引发的头条报道,让德累斯顿藏品的历史价值和位于王宫的绿穹珍宝馆再次进入艺术爱好者的视线,这算是此事唯一的正面影响。

德累斯顿因其国家艺术收藏品和遍布全市15家博物馆的藏品而享誉全球,包括古代大师画廊、绿穹珍宝馆、铜版画陈列室、数学物理沙龙、军械库、民俗博物馆、雕刻艺术馆、瓷器艺术馆等。位于茨温格宫的瓷器艺术馆不仅展出中国和日本的瓷器,还展出毗邻的迈森瓷器,它们都属于特别有收藏价值的珍品。奥古斯特大公对东亚瓷器艺术的偏爱达到狂热的程度,所购买的藏品数不胜数[图1-26]。受其影响,迈森依照中国和日本的瓷器样式生产制造出的特色瓷器在远近享有盛名。

历经两次世界大战的德累斯顿,存放着大量油画和瓷器艺术品,从这些丰富但脆弱的艺术品上,人们不仅认识到德累斯顿作为艺术中心的地位,也可以想象战争对文化的影响和破坏是何等巨大。今天,这些令人赞叹的艺术品之所以能在战争中幸存下来,多半要归功于时人的敏锐。他们知道,即使面临战火,也必须保护好这些艺术品。

图1-26 美第奇家族于1590年捐赠的中国景德镇瓷器,明朝嘉靖年间(1522—1566)制造

三

地理风貌

如果仅仅把德累斯顿简化为内城和外城，这种分类未免过于粗疏。除了"萨克森小瑞士"外，德累斯顿还包括易北河草地、易北河城堡[图1-27]、别墅区、皮尔尼茨宫等。除了德累斯顿老城和其他各区外，周边更广阔的地区也成为敌军袭击的目标。伴随着独具风格的历史建筑被毁坏，无数艺术珍品也灰飞烟灭，主要是室内陈设和绘画藏品。因为艺术品从范围和细节上难以估量，我们主要还是以建筑物作为衡量破坏程度的指标，首先从德累斯顿的地理位置和环境说起[图1-28]。

图 1-27 迈森的阿尔布雷彻斯伯格城堡

图1-28 易北河畔的德累斯顿

地 貌

地貌塑造了人,从那些敏感的艺术家,尤其是诗人、思想家、作家、视觉艺术家和音乐家的大量作品中,我们可见一斑。一个地方的地貌对当地人的心理影响至深,生长在河边还是在山里,在城市还是在乡村,彼此的观念都不一样。《圣经》第一卷《创世记》中有两则创世神话:其一以大洪水为背景,其二则定位于陆地,二者讲述了不同背景下的创世故事,虽然叙事不同,但其表达的核心都是世界是被创造出来的。通常人们认为,河流是自然的分界。恰恰相反,在此要说明的是,一条河流,不管它有多宽,其两岸的人的心态和归属感都高度相似。地貌塑造着人的例证在易北河畔的德累斯顿是如此鲜明,易北河并未将德累斯顿和周围的景观分割为两个部分,而是将它们连接成为一个整体。

易北河发源于捷克的巨人山脉,临近波兰边境,与北海相连,象征着惬意安宁和向世界开放的城市形象。一座城市的崇高、脆弱、骄傲和痛苦与一条河流紧密相连,在德累斯顿的历史中打下了深刻的烙印。2002 年,易北河洪水泛滥,这条全球最大的河流之一以史无前例的来势淹没了德累斯顿,造成高达 10 亿欧元的损失[图1-29]。尽管德累斯顿时常发生洪水,也常达到洪水的高水位,如 1845 年、1890 年、2006 年和 2013 年,但这一次持续的时间之长令市民震惊。

图1-29　易北河洪水泛滥，受淹的主火车站对比图，2002年

德累斯顿辉煌而震撼的代表性建筑，加上易北河畔的地理位置，激发了许多艺术家的灵感。其中最著名的是卡纳莱托，他用极为逼真的画面为后人留下了德累斯顿的迷人景象。人们可以在古代大师画廊里一睹其真迹，观者皆赞不绝口。卡纳莱托从两个不同的方向展现了他眼中的城市风景：从易北河右岸奥古斯都大桥桥上和桥下看德累斯顿［图1-30］。

图1-30 奥古斯都大桥下易北河右岸的德累斯顿(卡纳莱托,1748年)

在卡纳莱托之后,1890—1905 年间出现了另一幅庄严雄伟的画。从战争博物馆方向望向雄伟的奥古斯都大桥,背景都是城市的标志性建筑。画的左边是圣母大教堂,右边是圣三一教堂。这幅画贴切地将中世纪繁荣时期德国最大的桥梁同欧洲最大的交通枢纽结合起来。

德累斯顿的建筑和艺术,给人以一种地中海般的生活氛围。德累斯顿腹地的一部分地区,嶙峋的岩石地貌仿佛让人置身瑞士的一隅。联系到州名萨克森,因此这一地区也被称为"萨克森小瑞士"[图1-31]。

萨克森小瑞士(捷克称其为"波希米亚小瑞士"),位于德累斯顿东南部,是易北河两侧延伸的砂岩山脉的一部分。这里有着地质上有趣的平顶砂岩和白垩纪侵蚀景观。最高峰是格罗塞斯坦峰,海拔高度约 560 米。这里的地貌令人不禁联想起美国国家公园或闻名遐迩的中国桂林喀斯特岩溶地貌。

静谧和荒凉的风景,不仅影响了作曲家卡尔·玛利亚·冯·韦伯和理查德·瓦格纳,而且还影响了画家弗里德里希和里希特等。这里也极富旅游价值,有 1000 多座山峰邀请人们去攀登,不过攀登方式受到严格管制,只有登山者才被允许在萨克森小瑞士的独特的峭壁山崖下露营过夜。1990 年,这里成为国家公园。

图1-31 萨克森小瑞士

宫殿和城堡

宫殿和城堡流光溢彩常常令人目眩神迷,极易忽视建筑的历史因素。很显然,小人物与统治者的住所是完全不同的,统治者的建筑因其地位和规模,更容易在岁月的流逝中保存下来。对观察者而言,建筑的历史见证作用常常被统治者和权力掩盖。在此,本书将从反映德累斯顿腹地经济发展的角度,介绍一些登峰造极的统治性建筑。易北河的河流景观与德累斯顿的城堡群相结合,构成了一道无与伦比的特殊风景线。

观察德累斯顿,不能不关注其周边的风景和建筑,特别是易北河畔令人印象深刻的城堡群。

皮尔尼茨宫

皮尔尼茨宫 1721 年在柏培尔曼的指导下兴建。这是一座巴洛克式的宫殿 [图1-32],因风景迷人的花园和富丽堂皇的建筑风格而独树一帜。这座宫殿及其花园位于易北河右岸,在德累斯顿东南约 15 公里处。除了常规陆上交通路线外,还可通过水路,即乘坐游船、复古的蒸汽明轮船或摆渡船穿过易北河到达。

来自亚洲特别是中国的游客,通常会参观 1804 年建成的皮尔尼茨宫花园里的中国亭子 [图1-33],这座古典东亚风格的亭子令他们流连忘返。

莫里茨城堡

另一颗风景明珠是德累斯顿以北 20 公里处的莫里茨城堡 [图1-34]。这是一座巴洛克风格的水上城堡,服务于萨克森选帝侯,供其打猎时下榻。选帝侯奥古斯特大公不惜工本,使这座城堡颇具他要求的皇家气派。

柯尼施泰因要塞

德累斯顿不远处有一个代表性的城堡群,这就是柯尼施泰因要塞 [图1-35]。它位于德累斯顿东南 40 公里处的高地上,高出易北河约 250 米。它的城墙约 2 公里长,部分高达 50 米。它是欧洲最大的城堡之一,有一口近 150 米的深井。800 年的历史中,它无数次被改建,先后用作堡垒、狩猎小屋、娱乐宫、修道院、国家监狱、战俘营、军事医院、国家物资储备地、重要档案和艺术品存放地(包括二战期间)、掩体,最后成为一个露天的军事历史博物馆。1955—2005 年,它吸引了约 2500 万名游客,仅 2018 年就吸引了约 50 万名游客。

图 1-32 皮尔尼茨宫和花园

图 1-33 皮尔尼茨宫花园里的中国亭子

图 1-34 莫里茨城堡

图1-35 柯尼施泰因要塞

四

社会状况

一战结束到二战开始,即1918—1939年是一段社会变革密集和政治经济划时代发展的时期,下文只能粗略勾勒和选择性地描绘当时德累斯顿的社会生活状况。回顾这段历史,有助于理解德累斯顿民众的经历,特别是在二战结束时他们的选择及其产生的影响。事实证明,德累斯顿并非只有巴洛克式建筑和艺术。

战前生活

德累斯顿是一战期间最大的驻军城市之一,也是军备中心。一战结束时,它深受战胜国裁军要求的打击,从战时经济向和平时期经济的转换艰难而持久。当时,经济形势严峻,失业率居高不下,高额的赔偿金、世界经济危机和货币贬值造成了巨大危机 [图1-36]。即便面对种种困难,德累斯顿不仅取得了工业的飞速发展,而且在包括航空在内的交通领域取得了惊人进步。

德累斯顿居民虽然背负着谋生和养家糊口的沉重压力,但也会在闲暇时寻求快乐。他们去电影院,玩摄影,在各种俱乐部(根据观念和社会地位划分)发展体育爱好,唱歌、远足、骑自行车、游泳 [图1-37] 和划船,还有在小花园里消磨时光。

图1-36 乞讨的伤残军人，1923年

图1-37 德累斯顿人在克洛采游泳馆享受周末

于尔根·里希特在他的书里幽默地对20世纪20年代德累斯顿的社会生活进行了描绘，覆盖面极广。书中的标题和副标题，呈现了当时的社会生活风貌："裙子令人与众不同——男女生不仅在私立学校被分开""只有亿万富翁才有啤酒喝——通货膨胀是一战的遗产""城堡一瞥：野外裸体运动——易北河河水诱人下水游泳""从市政厅伸向天空的电线——1923年第一次收到广播节目"，等等。

20世纪20年代德累斯顿的日常生活，还可以从当时的彩色插图杂志中窥见一斑，如《雕鸮》《纵览》《杂志》等。这类杂志是寻找两次世界大战间生活记忆的宝库。现在，这些杂志的内容已被数字化，为感兴趣的读者提供了便捷的网络浏览途径，省去了奔波于不同档案馆的烦恼。

人们对二十世纪二三十年代的兴趣非常之高，德国因此推出了大量有关这一时期的展览。仅举一例：2019年，德累斯顿城市博物馆举办了"1919—1933年德累斯顿的现代派——城市、建筑和人的新思想"展览。正如展览目录所述，它的目的不仅是展现一座城市的建筑历史变迁，即公共建筑和私人建筑的新创举，还试图呈现不断变化的思潮、对高层建筑的推崇和雄心勃勃的博物馆计划，并向参观者展现了那一时期民主倡议、技术至上和杰出的才华。这一过程也体现了德累斯顿特有的保守主义与开放思想的结合。

20世纪20年代，德国社会发生了显著变化。1918年底开始，女性被允许投票，并不得不在许多领域取代男性，因为很多男性在一战战场上一去不复返。女性开始在公众场合抽烟。20年代，一种新的女性形象出现。艺术上，性和暴力在与战争创伤的背景下成为主流。

严格来说，德国所谓的"黄金二十年"实际上只持续了5年，即1924—1929年。这5年辉煌与苦难紧密共存。在经历了1920年的政变未遂、1920年的起义和1923年的恶性通货膨胀等事件后，1924年德国开始了短暂的经济上升期。1929年世界经济危机爆发，引发了1931年德国银行危机。在德国，从1926年至1928年，经济虽持续繁荣，然而国内社会的分裂渐趋危险。尽管作出了种种努力，但年轻的议会体系无法阻止纳粹党夺权。1933年，一战结束15年后，希特勒就宣告成立所谓的"千年帝国"。仅仅6年后，希特勒和他的追随者便将德国和世界卷入了战争，这是一场难以想象的远比一战更恐怖的战争，6000多万人失去了生命。从两次世界大战间的政治经济背景中，可以看到德累斯顿的社会变迁。

建筑活动的频率和范围首先受到了战后条件的制约，随后又受到经济资源优先满足二战需求的限制。一战后首要的任务是建造房屋和住宅区，这项工程在战争中陷入停滞。因为只是对现有工业建筑进行改造，几乎不需要创新，所以在工业建筑领域没有值得一提的发展，倒是个别城市的高层建筑引人关注。交通方面，德累斯顿与帝国高速公路的联网意义重大。希特勒夺权后，许多更大规模的建筑项目都止步于规划阶段。遗址保护方面，茨温格宫和圣母大教堂的修复以及河岸景观的设计值得关注。

1929年爆发的世界经济危机，让德累斯顿发达的教育事业陷入停滞。此前，德累斯顿的学校已具有模式化办学特征：每个班级小班化教学，废除教师对学生一切形式的体罚，设立家长委员会，对教师进行培训，推进教育改革试点，等等。一战结束后不久，在很多领域飞速发展的德累斯顿工业大学，很快便陷入纳粹意识形态的泥沼。

卫生服务事业在德累斯顿呈现了一种特殊的面貌：投资建设和维护医院，

开办诊所和疗养院,特别是在卫生保健领域举措尤多,包括建立卫生保健博物馆,等等,但这些其后也因经济危机而被严重削减。

德累斯顿也是20世纪20年代的文化交流中心,是欧洲艺术先锋派的热点。德累斯顿国家艺术收藏馆的一份目录写道:"这十年间,主要是苏维埃俄国的构成主义、荷兰风格派运动和包豪斯艺术,在充斥着传统的易北河畔的佛罗伦萨引起了轰动。"与表现主义一样,奥托·迪克认为,新客观主义艺术运动确立了自己的地位,即试图赤裸裸地展示事物本身,几乎没有艺术性。德累斯顿的艺术画廊和展览馆享誉全球,但1933年纳粹党举办的"堕落艺术展"粗暴地终结了德累斯顿艺术界的活力。1933年起,战时产生的文学觉醒(和平主义的、革命的)遭到纳粹党破坏,戛然而止。知名文学家被迫顺从、沉默或流亡。国际知名的舞台舞深受魏格曼和帕鲁卡影响,曾在德累斯顿的两所舞蹈学校发展流传,但这两所学校也难逃厄运,背离了创立的初衷,转变为纳粹党的培训学校。在音乐方面,德累斯顿的国家歌剧院、国家管弦乐团和国家芭蕾舞团,以及管弦乐、教堂音乐和合唱艺术都享誉全球,但也遭到纳粹党迫害,极具天赋的犹太音乐家被驱逐和流亡,因而实验戏剧和多样的舞台风格都成为纳粹党的牺牲品也不足为怪了。

一战后,德累斯顿因住房、道路建设与发展福利而重新起飞的经济,又随着经济危机的爆发而陷入低潮。经济过度依赖出口,战争赔偿、债务、破产和失业人数的激增导致经济左支右绌。失业人数从1929年的3万人上升到1930年的4.7万人,1931年上升至7万人,1933年上升至9.3万人,同期需要经济救助的人数从2.7万人上升至7.6万人。虽然纳粹党在德累斯顿的受欢迎程度逊于帝国平均水平,但仍在德累斯顿与反对力量的对抗中占据了上风,最终赤裸裸的暴力大行其道,导致公众生活的各个方面面目全非。

纳粹主义

埃尔里希在关于希特勒独裁时期（1933—1945）德累斯顿的历史指南里，特别指出德累斯顿有着明确的纳粹时期，最终承受了相应后果。二月轰炸因纳粹德国而起，几百万人因此丧生。在此意义上，埃尔里希开篇就指出，早在1933年1月30日纳粹党夺取政权前，德累斯顿就是该党的据点之一。

1933年3月，德累斯顿市市长因反对纳粹党人上台而被免职，德累斯顿于是成为萨克森州的纳粹党州首府。新的纳粹党人市长也占领了萨克森州州政府的办公地，并赋予自己前所未有的巨大权力。同月，德累斯顿发生了第三帝国第一次焚书事件[图1-38]，无数艺术家和科学家被驱赶出城。1938年"水晶之夜"，森伯犹太教会堂被烧毁，约5000名德累斯顿犹太人被驱逐或关进集中营。德累斯顿是7个重新布局的城市之一，易北河畔被改造成一个阅兵场，并计划建立一个大型的纳粹党分部广场。

图1-38 1933年3月8日,纳粹党人在警察的护卫下,焚烧从德累斯顿人民报报社及卡登出版社被强占的大楼里搜出来的档案和书籍

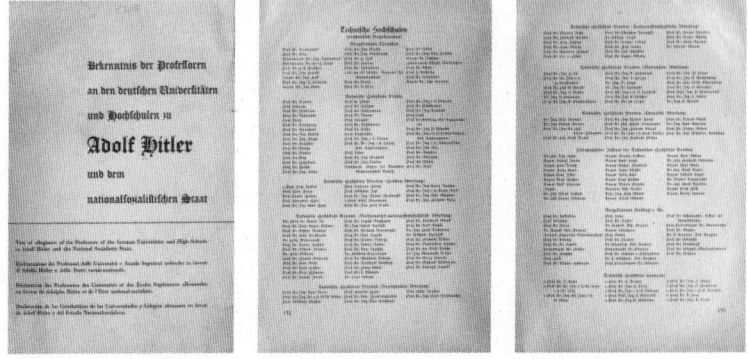

图1-39 摘自《德国大学教授对阿道夫·希特勒和纳粹国家的支持信》,1933年

1933年11月11日，在退出国际联盟的前夕，学院派中的一部分人承认纳粹党的极权统治，并公开签名宣布支持希特勒，其中包括20世纪的伟大思想家马丁·海德格尔，时任弗莱堡大学校长[图1-39]。一部分签名者，大多是教授，也有讲师和助教，甚至学生，他们部分地认同纳粹党的纲领，尽管纳粹党在高度集权下，通过意识形态管制、清洗大学里的犹太学者，或者进驻大学，侵犯了他们的教学和研究自由。另一部分签名者，可能是想在纳粹允许的框架内获得职业保障或发展，出于对生存的恐惧或期望优待而签的字。他们在专业方面作出让步以确保生计，成为一名专职公务员，从而获得行使权利的可靠保障。因此，许多人加入纳粹党并不都是出于私利，而是为了更好、更容易地实现所谓的远大目标。对这些人进行历史分析不难发现，他们的卑躬屈膝往往既非必要，也非被迫。这种不必要的过度行为屡见不鲜，且备受独裁政府欢迎。当时也存在一些反对势力，用温和的方式与独裁政权共存，采取公开的、建设性的反对手段。德累斯顿的另一部分教授就是例证，他们无惧后果，并没有在宣言上签名。

纳粹势力在德累斯顿未受到大的抵制并得以蔓延，那些反对者内心虽不赞同但又无法强烈反对。这种情况对战后的德累斯顿也产生了影响，右翼势力再次蠢蠢欲动，公然鼓吹纳粹政策。而另一些人则在"防止重蹈覆辙"的口号下反抗，并站出来为德累斯顿向世界开放而奔走呼吁。民族主义与民粹主义的结合，未来将成为长期的隐患，这一趋势令人费解，因为在德累斯顿，因果关联是如此明显。举世哀叹的轰炸是纳粹政权的恶行的后果，而前因正是德累斯顿成为纳粹主义产生和发展的温床。

1923年，萨克森州州长鉴于法西斯团伙的集会，发出了可能爆发国内战争的警告。1930年，纳粹党在萨克森州取得了第一次重大选举胜利。由于对工人阶级的明确承诺和反共产主义的鼓动，纳粹党的政治策略开始奏效。萨克森州飞速纳粹化。但仅仅几年后，自诩千年的第三帝国的不切实际和狂妄自大就带来了可怕的后果，这并不令人惊讶。下文在对轰炸进行道德评价时，我们会再次讨论这一因果关联。

第二章
战时的德累斯顿

来德累斯顿旅行，既可深刻感受到璀璨的历史文化魅力，也能强烈感受到战争带来的破坏性和重创力。

战争总有导火索，事出必有因。一战前夕，许多民众被煽动起来，以为这场战争是一场迅速制胜的闪电战，士兵在圣诞节前便能回家。然而，战争持续了很久，经过了 4 个圣诞节，甚至快持续到第 5 个。战争志愿兵们［图2-1］之后痛苦地追悔莫及，因为与事前的设想完全不同。如果他们预料到最终会有约 1700 万人丧生，肯定不只是他们，大多数人都不会考虑战争。

战争是丑恶、非人道和野蛮的。在德累斯顿，战争打断了日常生活，成为可怕的休止符。原本的历史进程因始作俑者的作为偏离了轨道，由于目空一切或狂妄自大，朝着错误的方向渐行渐远，漫长而可怖。战争，尤其是发生在德累斯顿的战争，在繁荣、艺术和文化的迷人背景下，显得尤为恐怖和丑陋。

图 2-1 战争志愿兵（伯恩哈得·海西格）

一

关于战争

1931年9月18日,日军突袭沈阳,发动侵略战争,中国军民奋起反抗,战争爆发。1939年9月1日,德军入侵波兰,二战欧洲战场拉开序幕。1945年5月8日,德国无条件投降。1945年9月2日,日本向盟国投降的签字仪式在东京湾的美国军舰"密苏里"号上举行,中国的抗日战争和二战结束。战争给世界人民带来了巨大灾难,60多个国家直接或间接地卷入了战争,1.1亿名士兵投身战场,约6000万人丧生。如果算上集中营、强迫劳工、大屠杀和其他战争罪行造成的死亡人数,总数约8000万人。战争带来了无法估量的肉体和精神伤害,以及文化的衰落。哪怕只是想象自己卷入其中,无论是受害者还是施暴者,都会在内心深处不寒而栗。若果真如此,就有一个令人难以回答的问题:人类为何会对彼此实施战争中发生的暴行?无数的人,他们都是鲜活的、独一无二的生命,却被战争的绞肉机绞得粉碎。

这就是战争的现实,是人类历史的至暗时刻,尤其是二战,德累斯顿的命运也是注定的。一方面,德累斯顿主动或被动地参与并配合了这场战争,这是因果循环;另一方面,战争对德累斯顿的伤害也要谨慎地加以审视与评判。对德累斯顿的轰炸可以理解为其中一个战争之谜,与所有的表象相反,德累斯顿轰炸虽然对战争的结束发挥了一定的作用,但并不是重要作用,更不是主要作用。

空 袭

《贝德克尔轰炸指南》[图2-2]罗列了令人震悚的英国皇家空军的空袭目标,德累斯顿进入该名单的时间较晚。1945年4月14日,柏林西南方的波茨坦遭到轰炸,如凯勒霍夫所说,因为它还没沦陷,英国人便"可以"去摧毁它。1943年的第一批名单上,有392座超过1.5万人口的德国城市成为空袭目标,甚至更多,包括这些城市内所有与原料、基础设施或文化有关的目标。1944年的第二批名单显示,所有对战争有重要作用、居民少于10000人的城市也是潜在的轰炸目标。

依据与战争的相关性,这些城市被分为几类,从最低的3级到最高的1级,其中最高的是特殊的1+级别。在德累斯顿,没有目标属于1+级别,属于1级的5个目标在二月轰炸中也被完全忽略,表明英国空军的真正目的是打击德国民众的士气。军事轰炸瞄准的不是军事设施,而是市中心和居民区,意在削弱民众特别是产业工人的士气。

图 2-2 《贝德克尔轰炸指南》

以"贝德克尔"冠名是因为贝德克尔出版社以出版旅行指南著称。旅行指南会选择一些城市、历史建筑或文化中心作为重要参观点，轰炸指南也是基于对城市的遴选。轰炸的目的是尽可能地打击民心，扰乱公共生活。贝德克尔空袭原指1942年德国空军对英国的轰炸，目标是英国在军事上不重要但具有深远历史意义的城市，这些城市的共同点是都属于军事上未设防的城市，如埃克塞特、巴斯、诺里奇、约克和坎特伯雷等，其他的空袭行动主要集中于英格兰东部地区。"贝德克尔空袭"这个词可追溯至外交部一位参赞的表述，因为它朗朗上口，在宣传上好记易懂，后来被英国人用来作为盟军特别是英美空军对德国进行地毯式轰炸的代称。

世纪之交，空战已被英国评估为一种新的革命性的战争形式。1921年，意大利的朱里奥·杜黑也强调，要将民众的意志作为空战目标。但英国政府在开战后不久还是强调禁止轰炸机司令部选择那些可能会导致平民大量伤亡的目标，这出于两点考虑：一是轰炸明显的军事目标，会最大限度地减少一战中可怕的阵地战；二是无差别地轰炸平民，会造成惨重伤亡。然而，英国政府后来不仅逐渐放下了对轰炸平民的顾虑，而且越来越多地将其纳入总体战略。造成这一转变的原因有：一战中，1915年德国齐柏林飞艇和1917年重型轰炸机对伦敦的轰炸没有显见的军事用途；在镇压殖民地的起义中，军队对士兵和平民进行空中无差别打击（第一次是1911年意大利飞行员朱利奥·加沃蒂投下的炸弹）；1937年，德国秃鹰军团在西班牙内战中对格尔尼卡的轰炸毫无军事意义；1939年，德国空军对波兰维隆的轰炸同样没有军事意义，但平民伤亡惨重；1939年，德国空军对华沙和其他许多城市的轰炸，尤其是1940年对考文垂的轰炸，一再将平民、市中心、基础设施和生活场所作为目标。虽然有证据显示，轰炸的目标是军事对象，但事实上并未起到关键作用。虽然这些袭击主要是为了摧垮民众的战争意志，但很大程度上也是一种报复性打击。早在1940年，英国空军就对考文垂轰炸作出回应，对德国汉堡实施区域轰炸，主要目的是炸毁工人住宅区和市中心。

军事战略上，空战越来越具威慑力，在交战双方的总体战略中具有决定性地位。在盟军将德国从纳粹政权中解放出来并以暴力方式结束二战的背景下，可以肯定的是，苏联军队的进行，如果不是因为德军在西线受到空战的牵制和削弱，是不可能发生的。仅通过阵地战能否夺取和占领德国，还是一个很难作答的理论性问题。在此背景下，可理论性地设问：基于阵地战和地面部队的部署情况，德累斯顿及其周边地区的伤亡人数可能有多高？1945年2月，德累斯顿即将"沦陷"，很可能向行将到来的红军投降。然而，比较空战和阵地战的伤亡也可看出，空战的伤亡者主要是平民，而使用地面部队和肉搏战的阵地战，伤亡者主要是交战士兵。

关于德累斯顿轰炸，可以再补充一些数据：1939—1942年，德国被投下约9万吨炸弹；而在1943—1945年，这个数字达到近150万吨。时至今日，在德累斯顿的土方工程中仍可发现未引爆的炸弹。在与德国的空战中，英军损失了约2.2万架飞机和8万名士兵，美军损失了约1.8万架飞机和近8万名士兵，而德军则损失了约5.7万架战斗机和轰炸机。总的来说，军方对发动空战的预期达到的程度有限，恶劣的天气和当时的技术导致了各种限制，既影响了空袭的精度，也影响了打击民众士气的核心目标。

空袭下的欧洲

对于二月轰炸,不仅要从历史背景去理解德国因其侵略行为而招致的结果,也要从报复这一角度来理解。德国在二战中发动的侵略战争给大多数欧洲国家造成了惨重伤亡和巨大伤害,为了勾勒出这一事件的整体历史框架,我们来聚焦几场空战。

根据德国秃鹰军团参谋长沃尔弗拉姆·冯·里希特霍芬的说法,早在1939年德国就设想"彻底消灭华沙"。9月1日,德军用87架战斗轰炸机重演了在格尔尼卡的暴行。凌晨4点35分至下午2点,德军将维隆[图2-3]这座沉睡小城的70%夷为平地,1.6万居民中约有1200人丧生。二战在血腥屠戮中拉开了序幕。

1940年,弗莱堡遭到轰炸。5月14日,鹿特丹整座老城被炸毁。1940年9月1日—1941年5月16日,伦敦被轰炸。1940年11月14日—15日,考文垂被轰炸。1941年4月6日—7日,贝尔格莱德被轰炸。1941年7月22日—12月6日,莫斯科被轰炸。1941年9月8日—1944年1月27日,列宁格勒被轰炸。1942年9月13日—11月19日,斯大林格勒被轰炸。

布拉格附近一个名叫利迪策的小村庄里,有172名15岁以上的男性居民在1942年6月10日被报复性枪杀[图2-4]。关押在拉文斯布吕克集中营的195名女性中有52名被杀害。此外,还有其他男性被枪杀,孕妇在分娩后也被关进集中营。整个村庄被纳粹军队夷为平地,不是因为大规模轰炸,而是因为地面部队的暴行。

图2-3 维隆,1939年9月1日

图2-4 对利迪策男性公民的射击

要从道德层面讨论和评价德累斯顿空袭，首先要看到纳粹政权造成的破坏，尤其是德国空军执行的区域轰炸。否则这种评价就是不公正的，且容易扭曲事实。德累斯顿遭遇的轰炸，如果不从更广阔的角度与其他样本对比起来看，不考虑到法西斯德国与道义相悖的非正义行动，就无法进行道德评判。克里斯蒂安·班格尔认为，在纪念德累斯顿的受害者时，我们不能不提到纳粹党的生存空间理论和种族主义，不能不去悼念无数的特别是被纳粹党杀害的犹太人，不能不去回忆欧洲众多被德国摧毁的城市。在这无法形容的六年战争岁月里，深重的苦难不仅席卷了欧洲，而且直接或间接地席卷了整个世界，因此也被称为世界大战，而这正是由希特勒的德国造成的。这不是说只有某人应对此负责，而是说此人及所有采用积极或消极方式支援他的人都要对此负责。就此而言，判断非正义并不是基于某个人的行为，而是基于无数人的认同和狂热的体制。

没有哪场战争开始于特定的某一天，每场战争都有其发生的背景和渊源。比如，如果说二战始于 1939 年 9 月 1 日德军入侵波兰，这就忽略了它的前情。又如，1931 年 9 月 18 日—1945 年 9 月 2 日，中国开展了抗日战争。日军在中华民国首都南京发动了惨绝人寰的大屠杀，6 周内杀害了 30 多万南京人[图2-5]。南京大屠杀在规模上不仅可与区域轰炸造成的伤亡相比，而且在性质上与轰炸一般无二。尽管我们很难确定南京大屠杀中精确的死亡人数，但可以肯定的是，它远远高于广岛和长崎原子弹轰炸中的死亡人数。

约翰·拉贝在给希特勒的一封信中恳请希特勒向日本人提出抗议，拯救南京人民。但他的请求并未获得回音，犹如石沉大海。出于种种原因，希特勒对调解完全不感兴趣。所以，希特勒也是同谋，也要承担部分大屠杀的罪责。

图 2-5　中国平民被日军活埋

1932 年 1 月 29 日，南京大屠杀发生的 5 年前，上海成为日军区域轰炸的目标，这是第一次针对平民的轰炸。1937 年 8 月 28 日，日军再次轰炸上海[图2-6]。这次轰炸中，有 1.8 万人丧生，24 万人无家可归。而格尔尼卡，是在 5 年后的 1937 年遭遇了德军实施的惨烈的区域轰炸。

图 2-6
1937 年 8 月 28 日上海空袭后哭泣的小孩

二战接近尾声时,纳粹侵略政策导致的空战将德累斯顿拖入了致命的漩涡。此前,空袭在德国以外的许多城市肆虐。在那里,它将整个街区,有时几乎将整个城市夷为平地,并在此过程中令数百万人丧生。下文所提到的只占这些空袭的一小部分。

格尔尼卡(西班牙)

西班牙内战期间,德国战机在意大利军队的协同下,于1937年4月26日袭击了位于西班牙巴斯克地区的格尔尼卡[图2-7]。炸弹和大火将这座城市80%的建筑摧毁。最新研究表明,轰炸中约有两三百人死亡,与军事相关的目标,如桥梁、工业设施等则幸免于难。

考文垂(英国)

1940年11月14日傍晚至夜间,德军对英国考文垂进行了一次大规模的空袭[图2-8]。考文垂是一座工业城市,战争初期人口约有32万。在所谓的"考文垂闪电战"中,德军投下了照明弹、空雷、以镁或石油为燃烧剂的爆破弹和燃烧弹,还发动了小规模袭击(1941年4月8日—9日,1942年8月3日),到1942年,考文垂约有1200人死亡,其中568人死于1940年11月14日的区域轰炸。"考文垂化"成为考文垂轰炸后产生的术语,意思是一场以打击民众反抗士气为目的的轰炸,从而使政府失去发动战争的基础——民众的支持。

图 2-7
遭遇空袭后的格尔尼卡,1937 年

图 2-8　遭遇空袭后的考文垂，1940 年

伦敦（英国）

在对大不列颠的空战（英语中称为"伦敦大轰炸"）中，德国空军多次袭击伦敦，特别是在 1940 年 9 月 7 日至 1941 年 5 月 16 日期间。据估算，伦敦约有 4.3 万名平民丧生，100 多万所房屋被毁［图2-9］。但这既没让英国政府回到谈判桌前，也没让它停止军备生产。1940 年 9 月 7 日，"伦敦大轰炸"开始，在此前的 1940 年 8 月 24 日，德军对伦敦进行了首次轰炸，而作为报复，英国皇家空军对柏林进行了几次夜间轰炸。"伦敦大轰炸"后是军事上未达到预期的"贝德克尔闪电战"（纳粹德国旨在以此摧毁英国具有重要文化意义的城市），以及相对失败的 1944 年 1 月 21 日的"婴儿闪电战"。

图 2-9 伦敦的一个作为防空洞的地下车站内

列宁格勒（苏联）

二战中最可怕的战争罪行之一，是德军有计划地包围列宁格勒，致 100 多万人被饿死 [图2-10]，这是希特勒发动的种族灭绝战争的一部分。对列宁格勒的军事封锁从 1941 年 9 月 8 日持续到 1944 年 1 月 27 日，16470 名平民因投下的炸弹（目标主要是摧毁粮食仓库和供给枢纽）而丧生，约 3.3 万人受伤。

华沙(波兰)

1939年9月1日,德国入侵波兰。9月10日,德军轰炸华沙[图2-11],在德国国防军拉开空战序幕——1939年9月1日入侵波兰几天后,针对华沙的空战就在所谓的"血腥周日",即1939年9月10日升级为由17次单独空袭组成的大规模攻击。在超过1700架次的毁灭性攻击中,投下了560吨炸药和72枚燃烧弹,夺走了6000名波兰士兵和25800名平民的生命,1.6万名士兵和5万名平民受伤,10万名士兵成为德国战俘,波兰被迫投降。在1944年8月1日—10月2日的华沙起义中,德军不仅大规模谋杀平民,还摧毁了80%的城市。

鹿特丹(荷兰)

继1940年5月10日早晨空袭海牙后,德国空军又在1940年5月14日午后空袭了港口城市鹿特丹[图2-12],致使鹿特丹老城完全被摧毁,814名平民丧生。作为一个要塞城市的鹿特丹,不能援引国际法对民用设施加以保护,荷兰政府被迫投降。在所谓的"鹿特丹闪电战"中,德军开启了西线战事。

贝尔格莱德(塞尔维亚)

1941年4月6日—7日,德军空袭贝尔格莱德,使巴尔干半岛沦为战场。希特勒下令摧毁南斯拉夫的首都贝尔格莱德[图2-13]。尽管这是一座"不设防城市"(这种城市不应被袭击或轰炸,因为并未采取防卫措施),没有宣战或发出最后通牒,但德国与意大利、匈牙利组成的空军联盟仍然对它发动了袭击,并在两天内几乎将其完全摧毁。官方数据显示,有2000多名平民被杀,2万多所房屋中有9000所被毁。与华沙的遭遇一样,空袭目标是摧毁国家的行政管理和后勤中心。1944年4月16日—17日,贝尔格莱德再次遭受轰炸,这是它第一次遭到盟军(英国皇家空军和美国空军)的攻击。

图 2-10 列宁格勒

图 2-11 华沙

斯大林格勒（苏联）

1942年8月23日，斯大林格勒被包围[图2-14]。9月13日，德军发动猛烈攻击，二战中最惨烈的战役打响了。斯大林格勒不仅是苏联的重要工业中心，而且具有非常重要的战略地位。斯大林命令要不惜任何代价守住这座城市，苏联军民浴血奋战，战争达到高潮。俯冲式轰炸机的大规模轰炸与大规模地面战结合，之后德军又进行了大规模的空袭及残酷至极的肉搏战。10月中旬，苏联空军赢得了对斯大林格勒的制空权。1942年11月19日，苏军大举反攻，斯大林格勒战役接近尾声。1943年2月2日，苏军的最终胜利迎来了苏德战争的转折点。

图 2-12　鹿特丹

图 2-13　贝尔格莱德

图 2-14 斯大林格勒

空袭下的德国

反法西斯联盟的轰炸旨在努力使纳粹德国屈服并停止侵略的脚步,我们要在这一整体背景下看待和理解德累斯顿轰炸及其后果。

"德累斯顿的毁灭"是一种修辞手法,沿用至今,但这一说法是不准确的,与事实有所出入。德累斯顿不是整个被毁,而是部分地区尤其是市中心被毁,外围的新城几乎未受影响。爆炸发生后,这一具有误导性的表述首先出现在德国的对外宣传中,其后也出现在纳粹党的杂志和目击者报告中。作为一种"常见的修辞手法",它在1945年后的几十年里仍经常被记者和纪实作家使用。与德国其他城市相比,德累斯顿的被毁程度是有限的。规模更大、更严重的破坏发生在其他许多城市,如汉堡、普福尔茨海姆、多特蒙德、达姆施塔特、克雷菲尔德、卡塞尔、维尔茨堡、乌珀塔尔、杜伦、吕贝克、柏林,等等。有些城市被破坏的程度极高:维瑟尔97%,帕德博恩95.6%,博霍尔特89%,哈瑙88.6%,吉森76.5%,莫尔斯75.7%,齐根75.3%,埃姆登73.9%。凯勒霍夫强调,仅在1944年1月和2月就发生了对什切青、不伦瑞克、马格德堡、莱比锡、斯图加特、施魏因福特、阿沙芬堡以及柏林的大规模空袭。"德累斯顿的毁灭"意味着整个德累斯顿的衰落,不仅令人对众多德国城市被轰炸感到愤怒,而且令人对考文垂、伦敦、鹿特丹、斯大林格勒和华沙等城市的被轰炸更为愤怒。

1939—1945年,反法西斯联盟的空袭是对纳粹德国在欧洲军事侵略行为的回应。同盟国的袭击一开始是战略意义上的,但在德军对华沙、鹿特丹、伦敦等进行轰炸后,盟军也于1942年起调整战略,将空军力量投入大规模轰炸。根据卡萨布兰卡会议的决定,英国皇家空军司令部对地区目标进行夜袭,美国陆军航空队负责对定点目标进行日间突袭,而苏联空军主要负责瞄准特定的战略目标。同盟国的空袭旨在摧毁或削弱纳粹德国的基础设施和军事工业,并通过摧毁城市中心和居民区来打击民众士气。纳粹德国的宣传部利用空袭煽动民众情绪,提出"坚持不懈"的口号,从而导致了多起对被击落的盟军空军的袭击。有关德累斯顿轰炸的道义与法律问题至今仍争论不休。

此外,当时德累斯顿所做的防空预备措施表明,它并未完全排除自己遭到轰炸的可能性。德累斯顿建立了尸体堆放点,增加了尸体运输和掩埋服务,确立了官方的申报渠道等。然而,这些准备显然并不充分,因而它付出了过于沉重的代价。德累斯顿并非个例,不少德国城市也遭到了空袭,如科隆、吕贝克、柏林、莱比锡、纽伦堡、慕尼黑、汉堡、汉诺威、波茨坦等。二战期间,同盟国对这些德国城市的空袭是毁灭式的,反映了反法西斯联盟一方面要竭尽全力、不惜一切代价战胜纳粹德国,另一方面又要打击纳粹德国宣传蛊惑和制度压迫下的民众士气,在此目的之下,他们对大规模轰炸的结果视而不见或考虑甚少。纳粹党在战争宣传中拼命鼓噪绝不能气馁,并恐吓民众敌人是多么残酷无情,既不会对无辜的妇孺仁慈,也不会对珍贵的文化遗产手软。

我们从众多空袭中选择几个例子,从前因、进程和后果方面来探讨轰炸的规律性。虽然大部分例子都有其特殊性,但也具有共性,它们发生的背景多少也适用于德累斯顿。空袭中的区域轰炸和有针对性地破坏重要军事目标时常伴随着大量平民伤亡,对被轰炸地区产生了深远的影响。

对德累斯顿的轰炸,常常被认为是基于同盟国试图全力击败德国的考虑。虽然一次轰炸的军事战略意义和对战争的影响并非决定性的,但德累斯顿轰炸在历史上仍具有代表性意义,同时也引人深思:既然报复性的反击注定无法避免,德国应如何应对?

这些被轰炸的城市有一个共同点：它们都在战争的最后两年或最后几个月，甚至最后几个星期内被摧毁。也许，我们可将战争的结束归因于德国城市遭遇越发频繁的轰炸，军事设施被破坏殆尽。可见，在战争的最后一年，那些对德国不同规模城市的反攻是必要的，其强度和广度对战争的胜利起到了决定性作用。

1943年1月21日，根据卡萨布兰卡会议的精神，美英联军在加大对纳粹德国军事施压的战略基础上展开反攻。英国皇家空军迅速备战，执行深夜大面积轰炸。美国陆军航空队白天备战，执行对核心工业（特别是军事工业和燃料生产）、交通枢纽、运输装备等的系统性轰炸，破坏纳粹德国的基础设施。"燃烧攻击"战术，即指定区域范围的燃烧弹轰炸，尤具破坏性。由于英国皇家空军无法像美国空军那样用护航战斗机保护其轰炸机，所以英国人不得不发动夜袭。

吕贝克

1942年3月29日，英军对吕贝克的空袭是德国主要城市第一次遭遇区域轰炸，因此被载入史册[图2-15]。随着1942年2月14日作出的战略决定，英国皇家空军的攻击由效果不明显的以军事目标为重点转为大规模区域轰炸。

图2-15
吕贝克，1942年

图 2-16 被毁的科隆内城，1945 年

科 隆

1942 年 5 月 30 日至 31 日晚，英国皇家空军根据特伦查德的指令，实施了代号为"千禧年行动"的空袭，首次同时投入 1000 多架轰炸机进行无限制的区域轰炸。由此，英国与在一战中惨遭德军轰炸的痛苦角色进行了调换，那时的英国无力抵御德军的齐柏林飞艇和哥达轰炸机。而这次，英国皇家空军组建了一支强大的队伍，旨在彻底打击敌人的作战能力和意志。在科隆，英国皇家空军的"轰炸机风暴"战术首次发挥作用，投入了大量轰炸机，在新型导航系统的支持下，结合燃烧弹，威力惊人。轰炸令近 500 人丧生，引发了约 2500 起火灾，造成近 1.3 万座建筑物被毁[图2-16]。当时，科隆的总人口约 68.4 万，其中 13.5 万至 15 万人逃离。科隆是德国遭到轰炸次数最多的城市，共被轰炸了 262 次。

图 2-17 克雷菲尔德,1943 年

克雷菲尔德

1943年6月21日至22日晚,600多架英国轰炸机携带2100吨炸药和燃烧弹,75分钟内将克雷菲尔德市中心夷为平地[图2-17]。1036人死亡,9000多人受伤,7.2万人失去了家园。这座城市曾在1940年、1942年、1944年和1945年多次遭受空袭。这次空袭主要是为了打击民众士气。

乌珀塔尔

1943年6月24日至25日夜间,英国皇家空军的600架轰炸机在埃尔伯菲尔德区投下了2000多吨燃烧弹和爆破弹,引发连天大火,一半以上的建筑被毁。如果加上1943年5月29日至30日的空袭,全市共有6500多人死亡,约40%的城市被摧毁[图2-18]。

图2-18 乌珀塔尔,1943年

汉　堡

1943年7月24日至8月3日遭遇一系列轰炸,约3.4万人丧生、12.5万人受伤,是迄今为止人类空战史上最严重的空袭。"蛾摩拉行动"(英军夜袭五次,美军日袭两次)尤具破坏性,空军投下空雷、爆破弹、燃烧弹和磷弹,极端干旱和高温的天气条件助推了火风暴。之前吕贝克轰炸中通过混合使用不同炸弹而引发大规模火灾的策略,从军事角度来看在汉堡取得了成功,因此后来这种策略被称为"汉堡化"。爆破弹摧毁了街道和下面的供给管道,空雷炸裂了屋架、炸碎了门窗,建筑门户大开,使得燃烧弹和磷弹的威力发挥到极致,引发冲天大火。由于高温热空气团的浮力作用,人和物以每小时约270公里的速度被卷入火场中心。和其他城市一样,逃进防空洞的人常常死于燃烧生成的有毒气体(特别是一氧化碳),或死于肺脏破裂、中暑、烫伤、溺水、房屋倒塌造成的伤害和窒息。汉堡整个城区被夷为平地[图2-19],277330座住宅、580家工厂、2632家商业机构、80个国防军设施、24家医院、277所学校和58座教堂被毁,总吨位18万的在港船只被击沉。"蛾摩拉"这个名词源自《圣经》,用来描述这次军事行动,表明了这场行动的意图。一个世纪前的1842年5月,汉堡市中心的三分之一曾被肆虐数日的大火摧毁。

卡塞尔

与汉堡、达姆施塔特、普福尔茨海姆和德累斯顿一样,卡塞尔也是在盟军空袭中伤亡人数最多的德国城市之一。1943年10月22日,在英国皇家空军的一次进攻中,卡塞尔遭到极其惨烈的打击[图2-20]。

杜　伦

在1944年11月16日的"女王行动"中,杜伦几乎被完全摧毁[图2-21],此前它曾遭受51次空袭,其中大部分是由英国皇家空军发动的。

图 2-19 汉堡

图 2-20 卡塞尔，1943 年

图 2-21 杜伦，1944 年

图 2-22 马格德堡

马格德堡

1940—1945 年，马格德堡遭遇了 38 次空袭，约 5000 架轰炸机扔下 1.25 万吨炸弹，其中 1945 年 1 月 16 日的空袭最具破坏性。马格德堡是德国受盟军反攻影响最严重的城市之一，60% 的地区被毁，市中心几乎被夷为平地［图2-22］，约五六千人死亡，失踪和受伤者数以千计，20 多万人无家可归。这座城市有着强大的防空预警系统和大量配有座位和床位的防空洞，以及复杂的地下连接网络和逃生通道，仅防火墙就有 6000 个缺口，甚至妇女志愿者也参加了消防队，有一条防空阵地带保护军事设施、军工厂和交通枢纽，还有战斗机驻扎在城市附近进行防空。如果说有哪个城市注定会被空袭的话，那就是马格德堡，它拥有众多的新兵营、大型工业（包括军备工业、飞机制造和发动机工厂、发电厂）和重要的交通网络（包括一个大型港口）。

柏　林

英国、美国、苏联和法国的空军共对柏林发动了310次空袭，包括40次重量级空袭和29次大规模空袭。空袭主要发生在1940年6月7日至1945年3月18日，其中三次大规模空袭发生在1945年2月3日、2月26日和3月18日，共有4.5万多吨炸弹落在这座城市，比德国其他任何一座城市都要多［图2-23］。在这次空袭中，约有5万人丧生，其中大多数是平民。许多人死于倒塌的建筑物下的防空洞内，窒息、烧伤或溺亡。施特格尔曼认为，和士兵不同，平民无法通过投降这种方式来拯救自己的生命。

图2-23　柏林，法国大街

普福尔茨海姆

1939年，普福尔茨海姆约有8万人口，若以此来衡量，它是当时德国遭受空袭伤亡数最多的城市［图2-24］。1945年2月23日，英国皇家空军379架轰炸机对其进行了长达22分钟的空袭，造成近1.8万人死亡。英国空军摧毁了普福尔茨海姆98%的地区，城市化为火海，因为这座城市狭窄蜿蜒的街道上遍布着无数易燃的半木质房屋。

多特蒙德

空战的高潮发生在1945年3月12日,英国皇家空军出动1000多架轰炸机空袭多特蒙德,创下了欧洲历史上最惨烈的空袭纪录[图2-25]。多特蒙德的市中心已在1944年10月6日至7日的一次大空袭中被严重摧毁,这次又被4800多吨爆破弹和地雷弹彻底摧毁。这次轰炸的目的也是打击民众的士气,具体来说,剑指纳粹帝国的"军械库"鲁尔区。集中在鲁尔区的军工厂和运输通道被炸毁,无法为德军提供补给。时至今日,鲁尔区仍在承受着战争和环境污染造成的痛苦。

维尔茨堡

1945年3月16日,维尔茨堡遭到英国轰炸机的袭击。20分钟内,这座历史古城的90%被毁,5000人丧生[图2-26]。和德累斯顿一样,维尔茨堡的市民直到1945年3月仍心存侥幸,以为自己可以幸免于难。事实上,维尔茨堡一直在盟军的轰炸名单上。可能是因为在该市的《金色留言簿》(1909)中有一条有关丘吉尔的条目,使它在早期的轰炸中得以幸免。当地居民的安全感源于维尔茨堡是医疗圣地,没有重要的军备工业。

德累斯顿二月轰炸的破坏性将人们的注意力集中到空袭上,但这无法掩盖这样的事实:战争并不完全是在空中进行的,空战也不是决定性的。战争总体上是在地面进行的,基本上是陆军、空军和海军的联合行动。1944年,盟军在诺曼底登陆,发动大规模进攻。盟军约153万人,德军约35万人。约十多万名士兵丧生(不含失踪者),其中盟军6.5万名,德军5万名。仅盟军一方,就有15.5万人受伤,20万德军沦为战俘。

图 2-24　普福尔茨海姆，1945 年

图 2-25 遭遇空袭后的多特蒙德主火车站,1944 年 10 月

图 2-26 维尔茨堡，1945 年

二

战时生活

战争爆发后，纳粹政权为鼓舞战争士气，尽可能地减少平民的牺牲，并确保其日常生活，所以民众的生活并未彻底改变，虽然一战还令人记忆犹新，战时物资的匮乏也常常令人苦恼。随着空袭次数的增加，民众日益关注自身和前线家人的安危。

一战的创伤还未愈合，民众对参战毫无热情。1916—1919年的生活供给尤其糟糕，城市居民对此记忆犹新。农村居民则被强征入伍，马匹也被征用。1937年，帝国国防委员会对各种物资（食品、燃料和煤等）的配给加以详细规定，以免未来出现士气低落的情况。战争初期，谷物、土豆、糖和肉储量充足，这得益于前两年的生产大丰收。战争开始时，纳粹政府逐步推行强制配给制。油脂、肉类、黄油、牛奶、奶酪、糖和果酱等自1939年9月1日起，面包和鸡蛋自1939年9月25日起，仅凭配给卡供应。1939年10月中旬，纺织品需按计划配给，居民购买纺织品需提供有效期在一年内的配给卡。配给卡共100点，如一双袜子需4点，一件毛衣需25点，一件女士衬衫需45点。食物供给以土豆、扁豆、面粉、糖等为主，咖啡豆被大麦或榛子替代，蛋糕用胡萝卜和土豆烤制，果酱由萝卜制成。战争前两年，居民每人每周只配给 2250 克面包、500 克肉类和 270 克油脂，只有重体力劳动者、孕妇和儿童才可以喝到全脂牛奶（其他人只能喝脱脂牛奶）。纳粹德国并未出现严重的供给问题，主要是因为其肆无忌惮地掠夺被占领区，执行所谓的供应战略。

然而，犹太人在食品和纺织品配给中遭受了强烈歧视和公开羞辱。他们必须在指定商店里使用配给卡，分配得到的食物要比其他人少得多。战争爆发后，犹太人遭受的迫害和权利剥夺更加严重。对犹太人而言，医疗方面只有基本供应。他们逐渐被禁止拥有广播、电话、汽车及饲养宠物。为了在公开场合能辨别出"帝国的敌人"——犹太人，1941 年 9 月 19 日起，年满 6 岁的犹太人被迫在衣服的显眼处佩戴黄色的犹太星标［图 2-27、图 2-28］。

图 2-27　犹太星标

图 2-28　佩戴犹太星标的男人

为了保持民众稳定的士气，消费品的生产和供应达到了战前水平。为了防止反战情绪蔓延，妇女最初没有被征召入伍，也很少用到她们的劳动力（与英国、美国不同）。1939年起，女青年必须连续劳动6个月，为帝国效劳。1941年起，又延长了6个月，承担防空、社会机构、照看多子女家庭或运输等"战争救济服务"。军工厂实现了男女同工同酬，改善对工人和产妇的保护，提高国家福利待遇等举措，有助于补偿不断恶化的工作条件和每周长达50小时的工作时间。

儿童和青少年不再去上学，而是由学校和希特勒青年团安排，被分配到农村做收割工作。他们捡拾土豆上的甲虫或执行分配任务，收集盟军飞机上投放的传单和燃烧板。这种燃烧板装有助燃的磷，干燥后会自燃，目的是点燃并摧毁粮食作物。在战争冬季募捐和回收学校旧书本的要求下，学生被分配去回收旧纸、旧布或旧金属，作为对"人民社区"的贡献。这段时间，学生严重缺课，高中毕业考试也改成了所谓的"应急考试"。

面对东线德军的冻伤，德国军工厂于1940年4月号召民众"捐赠金属"。1941年冬季起，冬装，特别是大衣和毛皮，也包括套鞋、筒袜、毛衣、背心、帽子、护耳、手套、围巾、鞋垫等，还有毛毯和所有能抵御严寒的东西都被列入征集名单。整个活动被宣称是"祖国送给士兵的圣诞礼物"，一些捐赠者被发放了奖状作为表彰[图2-29]。

奖状文本：

我以元首的名义感谢彼得·林格为前线捐赠毛织品、皮毛制品和冬季用品。

戈培尔博士
帝国宣传头目和帝国国民教育与宣传部部长
1941年圣诞节

图 2-29　冬季募捐奖状，1941 年

出于对战时动乱的反感，人们试图解闷和转移注意力，他们听广播或阅读，追捧颂扬战争的文学，听战争报道和流行歌曲，周日听特别放送的"为国防军送祝福的音乐会"。1941年，拉莉·安德森演唱的《莉莉玛莲》引起了人们的共鸣。作为士兵的赞歌，这首曲子很快成为经典流行歌曲。人们不惧空袭的危险，涌进体育馆观看足球赛。电影院也发挥了重要作用，一周新闻简报定期报道战争的胜利。时至今日，那些在第三帝国时期很受欢迎的演员，如海因茨·吕曼、汉斯·莫泽尔、莫妮卡·勒克、莎拉·连德、伊尔莎·维尔纳等，还因曾出演鼓舞士气的电影而遭受批评。仅在战争第一年，观看电影的人数就超过了10亿。

1942年起，越来越多的市民在防空警报拉响后躲进防空洞，并借助"人民防毒面具"免遭烟雾侵袭。疏散变得日益频繁，有时规模很大。儿童出于安全和抚养需要被送到农村。1943年，仅柏林就有70多万人逃到乡下避难。作为空袭的受害者，许多人只能依靠应急宿营地。因为纸张短缺，媒体常常只能出版特刊。许多商品只能在本该被禁止却兴旺发展的黑市买到。与之相反，政党要人

（包括希特勒）却享有特权，这虽未导致大规模反抗，但已引起民众不满。1940年夏天，在庆祝战胜"世仇"法国时，士兵们被法国的生活方式所吸引并接纳了它。对邻国及其人民产生好感，这成为后来法德间产生友谊的重要基础。斯大林格勒战役的失败和非洲战场的败退逐渐导致德国国内的厌战情绪，但这种情绪遭到纳粹当局严厉禁止。斯大林格勒战役失败后，纳粹政权感到恐慌，戈培尔呼吁"全面战争"，所有可用的人力和物力都被调动起来，所有对战争不重要的企业和商店都被关闭，大部分民众都得履行义务为军备行业服务，所有达到服兵役要求的人都被应征，充当士兵、党卫队成员或警察。

这时，14—18岁的希特勒青年团也在军事训练营中接受军事训练，并被收编为士兵。1943年起，15岁的少年必须替代高射炮士兵成为"空军助手"。1944年秋开始，纳粹党呼吁青年们加入人民冲锋队，许多年轻人甚至投入肉搏的阵地战中，命丧疆场。因为苏联红军的推进，人们从东普鲁士和萨克森往西部逃亡。在帝国西部，英国人和美国人受到德国民众热烈欢迎，与其说是对这些推翻纳粹政权的"解放者"的感激，倒不如说是出于对他们在红军之前作为占领者进驻的欣慰，以及对这场损失惨重的战争即将结束的庆幸。战争造成了380万至400万名德国士兵和165万名平民的死亡，这并不意味着西方国家不害怕战争的结束及对德国人民造成的影响。1945年春，全德国笼罩着一种特别的、异乎寻常的世界末日的氛围。那些享有物资特权的阶层，如官员或军官，肆意酗酒狂欢；但大部分民众，尤其是市民和难民们，却食不果腹，无家可归。战后数年，民众依然承受着战争所带来的痛苦。在这方面，德累斯顿及萨克森周边的民众和第三帝国其他地方的民众别无二致。

三

二月轰炸

盟军轰炸德累斯顿时，空袭不仅针对军事目标尤其是军工厂，还针对一般意义上的工业设施和基础设施，特别是交通，甚至针对平民。平民此时不再被当作战争附带的受害者，而是被战略性地当作公开轰炸目标，这在1942年2月14日发布的"区域轰炸指令"中可找到相应的指导方针。

德累斯顿轰炸通常指的是1945年2月发生在二战即将结束前的轰炸，这并非德累斯顿遭遇的唯一一次轰炸。早在1944年8月24日、1944年10月7日和1945年1月16日，德累斯顿都曾遭到轰炸，这说明它完全具备被轰炸的战略意义。德累斯顿拥有重要的军备工业、军事机构和设施，它还是纳粹德国东南部的重要交通枢纽，铁路直通柏林、莱比锡、纽伦堡、布拉格和华沙，极具军事战略价值。在二月轰炸造成了巨大破坏后，盟军又在3月2日和4月17日向德累斯顿投下炸弹和燃烧弹，试图破坏其铁路设施。表2-1列出了几次轰炸所用炸弹的类型和数量。

表 2-1　盟军在德累斯顿轰炸中所用炸弹类型和数量

时间	炸弹类型和数量
1944 年 10 月 7 日（12：34—12：36）	70 吨爆破弹
1945 年 1 月 16 日（12：12—12：17）	264 吨爆破弹，41 吨燃烧弹
1945 年 2 月 13 及 14 日（22：03—22：28）	1447 吨地雷弹和爆破弹，1181 吨燃烧弹
1945 年 2 月 14 日（12：17—12：38）	● 474 吨地雷弹和爆破弹，295 吨燃烧弹
1945 年 2 月 15 日（11：51—12：01）	● 463 吨爆破弹
1945 年 3 月 2 日（10：27—11：03）	● 940 吨爆破弹
1945 年 4 月 17 日（13：48—15：12）	1554 吨爆破弹，164 吨燃烧弹

关于二月轰炸，要先从军事战略的角度对其进行分类，它不仅包括这次轰炸，也包括 2 月 13 日、14 日和 15 日前后发生的轰炸。全面看待这场轰炸，有利于看清德累斯顿的军事地位。这些轰炸袭击的不是"无辜的羔羊"，但这并不能成为袭击平民的借口，然而根据军事战略的内在逻辑，这一做法是可以被理解的。从军事战略角度看，德累斯顿和发动战争的德国其他城市一样，都应当被轰炸。但这里也要明确，通常意义下的区域轰炸和德累斯顿在最后遭遇的区域轰炸，是否可以仅从军事战略角度看待其意义，专家们并未就此达成一致。在英国空军发动的第一波攻击引发了火风暴后，美国空军在二月轰炸中发动的大波攻击在军事上通常被认为是完全多余的。所以，这不仅仅是道义的问题。

背 景

社会基础设施维持得越久,赢得战争就多几分胜算,所以民防和军事同样重要。在众多民防措施中,最关键的是建造地下防空洞,保护民众免受轰炸。这也是希特勒的战争策略之一。不管建造效率如何,其目的主要是提高民众的士气,这些防空洞承诺并暗示帝国领导人即使在困难时期也会照顾人民。除了真诚的同情心和相应的预防措施外,军事和民用医疗系统也是如此,通过在紧急状况下采取适当的救援措施,规划救治伤病的特别医院,战时准备给民众尤其是士兵带来了安全感,让他们感到个人有难时不会被国家抛弃。在有限范围内,这些设施的确让相关人员受益——人们可以逃进防空洞躲避轰炸,士兵可以得到卫生和医疗护理。

二战开始时,德累斯顿约有63万居民。联系当时的背景,特别是在全国性的空中保护法规出台的情况下,必须指出,德累斯顿的领导者几乎未采取任何有效措施来保护城市免受轰炸。纳粹党部头目高利特甚至在私人花园里为自己和一些党政特权人士修建了防空洞。尽管空袭在意料之中,高利特等人却自欺欺人,"希望"空袭不会到来。他们牺牲了民众的利益,犹如缩头乌龟,完全无法抵御其后的袭击。此外,他们视即将到来的危险于无物,欺骗民众,甚至在1943年12月萨克森州的大都市莱比锡第一次遭到轰炸后依然如故。总之,在第一次毁灭性的袭击浪潮到来前,德累斯顿的民众完全处于自我欺骗之中,这种无知且无畏的态度在战争中实属罕见。倘若当时的政府防空措施得当,或许二月轰炸中的伤亡人数会大为减少。

　　但是,无论是何种形式的防空空间,掩体、指定的防空洞,还是适合防空的地窖,都可能成为寻求庇护者的坟墓。出口、地窖楼梯、窗户和通风井被炸弹击中后会倒塌或变形,导致被困在里面的人因窒息、烧伤、烫伤或饥饿而痛苦死去。悲剧常常在搜寻和占据避难所时就开始了,在仓皇奔逃中,因为空间紧张,强者恃强凌弱,人人皆只顾自己。

进　程

离二战结束约 11 周前，德累斯顿走上了此前德国众多城市的老路，沦为一场大规模密集轰炸的目标。英国皇家空军 759 架轰炸机和美国陆军航空队约 500 架轰炸机组成了军事战斗联盟，1945 年 2 月 13 日晚至 15 日中午，英美盟军在 37 个小时里对德累斯顿实施了四波轰炸，约 2.4 吨爆破弹和 1500 枚燃烧弹投向了历史悠久的市中心和散布城市各处的军事及工业设施。

2 月 14 日是一个特殊的日子：三年前的这一天，即 1942 年 2 月 14 日，英国航空部签发了区域轰炸的指令。作为同时被任命为皇家空军轰炸机司令部司令，阿瑟·哈里斯坚决执行了这一指令。该指令主要针对城市，尤其是市中心和居民区，明确指出以平民为目标，目的是动摇民众士气，使他们敦促政府停止战争。指令提出的具体行动包括，轰炸产业工人居住区而不是军工厂和对战争很重要的企业，以此来阻止工人上班，断绝军需物资的生产。这一策略同样适用于基础设施。

军事战略方面，德累斯顿是连接柏林、莱比锡、纽伦堡、华沙和布拉格的重要交通枢纽，是向东线调兵遣将的重要通道；军工厂散布于城市各处，还有飞机场。因此，德累斯顿绝非某些人所声称的"无辜的文化美城"。

1945 年 2 月 13 日 21 点 45 分，德累斯顿第 175 次拉响空袭警报。因为防空洞不足，民众只能躲进家里的地窖避难，他们并未意识到，更不可能知道，他们和自己所在的城市正面临着一场历史性的空袭。

22点03分，英国皇家空军用兰开斯特轰炸机[图2-30]投下"圣诞树"(镁灯瀑布)，把内城照得通亮。2分钟后，皇家空军的9架蚊式轰炸机[图2-31]又投下了目标指示棒，为紧随的244架兰开斯特轰炸机指示目标。529枚空雷，1800枚爆破弹和燃烧弹从天而降，共约900吨。轰炸从22点13分持续到22点28分，15分钟足以点燃四分之三的老城。这场轰炸并不打算精准打击。

2月14日1点23分至1点54分，英国和加拿大空军的529架兰开斯特轰炸机瞄准火源，投下了65万枚约1500吨燃烧弹（确切地说，是648586枚铝热剂燃烧弹），这是第二波空袭的一部分。那些在户外（易北河畔的草地或公园里）寻求庇护的人不幸遇难。巨大的轰炸弹坑和多簇小火连成冲天大火，根本无法扑灭。

2月13日至14日的这场夜袭行动主要由英国皇家空军执行，人们常常会忽略美国空军也参与其中。2月14日12点17分至12点31分，美军的300多架B-17轰炸机[图2-32]在100多架护卫歼击机的掩护下，飞过乌云密布的天空，在目标照射雷达的辅助下，向德累斯顿的一些军工厂、弗里德里希城火车站和帝国铁路修理厂投下1800枚爆破弹（重474吨）和136800枚燃烧弹（重296吨）。一座医院和部分城区被击中，而就美国而言，德累斯顿纯粹是遭到了池鱼之殃，因为美国的轰炸机部队混淆了布拉格和德累斯顿。

1945年2月15日11点51分至12点01分，美军的211架B-17轰炸机执行日间轰炸。因能见度低，飞行员在德累斯顿附近的迈森和皮尔纳地区投下了460吨炸弹。

为便于理解破坏的程度和范围，我们有必要了解一下燃烧弹和爆破弹的知识，特别是其使用顺序、具体效果等。

图 2-30 兰开斯特轰炸机

图 2-31 蚊式轰炸机

图 2-32 B-17 轰炸机

燃烧弹

燃烧弹通常重量不超过2千克,偶尔也会重达几百千克。它的目的是通过在地面爆炸并释放出难以扑灭的燃烧剂,尽可能精准且大面积地点燃建筑物等。如果它们的使用强度或密度很高,就会像在汉堡那样引发火风暴。高温下,除了它们引发的火灾外,还有飓风般的热吸效应,从火灾中心的两侧街道和建筑物中抽取氧气,导致人们因窒息或脱水而死亡。

火风暴

火风暴是德国空军研发的战术。在1940年11月14日至15日空袭考文垂的"月光奏鸣曲行动"中,火风暴被首次应用,500架轰炸机向考文垂投下了约1500吨炸弹。其后,该战术也被应用于1940年圣诞节德军对曼彻斯特的袭击中。英军掌握这项技术后,首先在1942年3月28日至29日攻击吕贝克时使用,其后又在1943年7月24日至8月3日空袭汉堡的"蛾摩拉行动"中使用,造成3万多人死亡。

英国皇家空军使用燃烧弹进行区域轰炸的战略,通常是分几波快速进行,造成惨重伤亡。美国空军在1945年3月9日轰炸东京时投下燃烧弹,造成8万多人丧生,破坏力可见一斑。如果在投掷燃烧弹时加上磷弹,那么危害更是成倍增加。

英军在对德轰炸中使用了8000多万枚燃烧弹,如果不先投掷爆破弹或空雷,这些燃烧弹的威力就无法发挥。它们的作用主要是在爆炸时产生威力巨大的冲击波,导致在爆炸地附近的人们因肺部受到难以承受的压力而当场死亡。

空 雷

空雷即二战中使用的 HC 炸弹[图2-33]，看起来像一个水箱，2 吨重，装有 1400 千克炸药。在第一轮轰炸中，它必须将建筑物的一部分特别是屋顶炸开，以便在下一波攻击中方便燃烧弹对准燃烧目标投掷进去。为了让燃烧弹尽可能在目标表面充分爆炸，而不是着地爆炸威力减小，它们通常配备了 1 米长的棍子，先接触轰炸目标，然后再引发爆炸。空雷还有一个目的是让街道和广场难以进行救助运输，在燃烧弹的巨大威力下，火焰无法被扑灭，伤者无法被救出，死者无法被藏匿。

图 2-33 HC 炸弹

后　果

轰炸造成了灾难性的后果。德累斯顿老城 15 平方千米的核心区几乎被夷为平地，建筑物严重受损。其他城区也遭遇重创，被大规模烧毁和破坏，22 万套公寓中有 8 万套成为轰炸的牺牲品。一夜之间，"易北河畔的佛罗伦萨"变成断壁残垣，满目疮痍。一些幸存者从被击中的房屋墙壁缺口逃到其他屋子或空地，另一些幸存者逃到其他未被袭击的城区和周边地区，1000 名市民在一所教堂里避难。许多人被烧死，死于热休克、高气压，或在临时避难所因废气燃烧、缺乏通风而窒息身亡。许多逃到空地上的人又不幸成为火风暴或炸弹爆炸的受害者，无数家庭被爆炸带来的混乱拆散，许多幸存者饱受恐怖轰炸的梦魇困扰。约 70 名犹太人在轰炸中幸运获救，他们逃离了德累斯顿，没有遭到盖世太保的追捕，因为盖世太保的总部大楼已被摧毁。然而，另有 40 位犹太人被炸弹击中，死在"犹太之家"。

德累斯顿警察局长在 1945 年 3 月 15 日向柏林政府提交的报告中，汇报了截至 1945 年 3 月 10 日登记的遇难人数，总数为 18375。根据经验推测，预计最终会有约 25000 人。1945 年 3 月 31 日，死亡数字被修正为 22096 人。

这波轰炸之后，德累斯顿为 16000 名难民建立了临时收容所，为幸存者提供食物，掩埋死者。为避免疫情，政府将尸体在公共广场和火葬场堆积焚烧，共燃烧了 10430 具尸体，并将骨灰进行掩埋。因为临时收容所容量有限,无法收容的难民被带至郊区。很快,粮食供给崩溃,人们只有自己想办法找食物。纳粹党已丧失能力,无数官员或死或逃,日常管理职能已无法持续。75%有轨电车的空中导线被毁,大部分街道因为1100多个轰炸弹坑而无法通行。为到达工作地或政府机构,民众常常得穿过废墟和荒地。在1945年3月2日轰炸前,穿过德累斯顿的铁路线基本完好,在向东线调兵中发挥了重要作用。然而,轰炸后的地区铁路交通至少需两周时间才能修复。大多数企业不得不关门停业。

以下图片直观地反映了轰炸带来的破坏。没有任何想象可以从理性和感性上还原轰炸的情景及其带来的身心伤害,只有死者与轰炸的直接受害者才能体会。尽管如此,对他们来说,要把这一经过诉诸言语,使听者能够充分理解和大致了解是如此艰难。

圣母大教堂毁于战火,只留下墙基。1945年2月15日10点15分,教堂因轰炸倒塌,其他被毁的著名建筑物还有森伯歌剧院、德累斯顿王宫和茨温格宫。

这些图片表明,德累斯顿大面积沦为废墟。现代战争就是如此残酷,那些没有失去生命,甚至幸运地没有受伤的人也失去了安身之所以及辛苦积攒的财产,他们需要多大的意志和力量,才能从苦难中重新站起来,克服战争带来的身心伤害。想知道何谓"杂乱无章",看一看二战后的这些废墟吧[图2-34—图2-49]。

图 2-34　从寓意美德的雕塑旁望向南边，1945 年

图 2-35
从圣十字教堂塔楼望向被空袭破坏的德累斯顿内城

图 2-36 从市政厅塔楼向西北方眺望

图 2-37 从新市政厅塔楼望去

图 2-39 被毁的德累斯顿市中心

图 2-38 从新市政厅塔楼越过被破坏的内城看向约翰内斯教堂和特里尼塔提斯教堂的塔楼

图 2-40 被毁坏的城区约翰施塔特和皮尔纳政府机构，图片中央是商行大楼的废墟，右下方是市政厅屋顶，左中部是乡间别墅的中部，约1950年

图 2-41 皮尔纳广场和皇宫废墟

图 2-42 圣母大教堂

图 2-43 天主教圣三一教堂，穹顶和屋顶被炸毁

图 2-44 德累斯顿老城只余断壁残垣的新市场

图 2-45 茨温格宫，被毁坏的编钟陈列馆

图 2-46 茨温格宫陈列馆外墙

图 2-47 森伯歌剧院外景，二战刚结束时

图 2-48 森伯歌剧院内部,二战后

图 2-49 塔森伯格宫,二战后

即使大部分可移动的文化物资被及时转移,免受战争破坏,但德累斯顿的艺术损失仍无法估量。建筑的破坏程度是显而易见的。然而这一切,又怎能和因轰炸而丧生的人相比,又怎能和众多个体相比呢?与人的生命相比,独特的历史建筑和绘画的损失又算得了什么?历史学家委员会对德累斯顿进行细致调查后确定,轰炸造成的死亡人数约在2.2万至2.5万之间。

出于卫生防疫的考虑,这些尸体被不加区别地摞在一起焚烧,这也反映了轰炸的残酷,这就是典型的战争,蔑视作为个体的人,泯灭人性[图2-50]。

图 2-50 焚烧尸体

那些死里逃生的幸存者，其中有数十万人承受着肉体和精神伤害，余生都要作为战争伤残者与命运抗争[图2-51]。他们往往只能独自承担痛苦，成为亲属和社会的沉重负担。幸存下来却成为失败者，许多人用酒精麻醉自己，逃避这冷酷的现实。除此之外，他们又能做什么呢？许多伤残者用假肢和拐杖等辅助行走，尽可能地活下来。

得益于军事医疗的发展，部分重伤士兵被救活。由于战地医院和普通医院对伤口的抗菌处理，枪伤和刺伤的治疗越来越有效，加之使用钢盔能保护头部并减少中弹带来的致命后果，许多士兵保住了性命。这也相应地导致战争伤残者很多，如截肢、毁容、脑损伤、听力和视力障碍等，还有精神疾病患者。一战后，德国战争伤残者约有50万，二战后约有150万。

全面战争的一个特点是它对民众影响巨大：他们被卷入战事，成为战争受害者，数量甚至比士兵还多。因此，国家承认的战争伤残者中也包括平民，还有儿童。2000年，德国有372069名战争伤残者仍有资格享受国家福利。如今，这一群体还包括在海外(如阿富汗)执行军事任务而致残的军人。

图2-51　二战中被截肢的伤员

图 2-52　德累斯顿市郊捡拾土豆的人们，1946 年前后

尽管农民已把地里的庄稼收割得极为干净，在收获时不放过任何一个土豆，但之后又有一大群人（主要是女人）涌入耕地，怀着渺茫的希望，试图找到一两个土豆带回家。人们以这种在生存中挣扎的方式期待未来，谁能想象他们是何等饥饿，又是何等绝望？图 2-52 深刻表明，战争虽然结束了，但人们仍然备受折磨。

四

象征意义

德累斯顿轰炸成为战争炼狱的象征，但凡对二战的范围和强度有所了解的人，都会觉得"像德累斯顿一样"这个常用短语不甚妥当，或者索性不加批判地接受它。事实上，德国其他城市，还有被空袭的外国城市，有许多遭受了比德累斯顿更严重的空袭，为何德累斯顿成为战争牺牲品的典型形象，这种"形象"是如何形成的？这一问题的答案，说来话长。

首先，德累斯顿是位于易北河畔的一座风光旖旎的田园诗般的城市，是重要的历史文化古城。2004年，联合国教科文组织曾将以德累斯顿为中心的易北河谷列为世界文化遗产。在遭受战争破坏前，德累斯顿就等同于文化，被认为是文化衍生的天堂。几百年来，德累斯顿确立了文化的标准，被全世界视为艺术和巴洛克式建筑之城，被公认为西方的文化之都。然而，继众多德国城市之后，文化美城德累斯顿也被空袭了，尤其是其历史悠久的核心区，几乎完全被摧毁。对部分毫无戒备的民众来说，这场空袭实在太过意外，当时谁会想到呢？极具文化价值的城市被破坏，产生的震撼之强烈无可比拟。德累斯顿，作为令人印象深刻的文化之都一直备受瞩目，所以它比其他城市更易引起全球的关注。

其次，英美空军对德累斯顿的轰炸是意料之中，德累斯顿不应毫无准备。州党部头目高利特在私人花园下挖了防空洞，但民众却不得不在毫无保护的情况下面对空袭。高利特没有采取防空预警措施，而是愚蠢地依靠可笑的军事防卫。有迹象表明，如果采取了恰当的防空措施，也许不会造成那么多人丧生。因此，"像德累斯顿一样"这种说法也是在表达完全听天由命的感觉。

德累斯顿不应对被袭击感到震惊，在许多其他德国城市被轰炸的这段时间里，它早该预料到有朝一日也会遭受类似的轰炸和大规模袭击。这不仅因德累斯顿在军事战略上具有重要的交通枢纽作用，而且因其有着军工厂和军事战略价值。德累斯顿并不是一座纯洁无辜、军事上清清白白的文化城市。这种基于错误假设的文化城市的自诩，实际上是自欺欺人，也许是为了将这种破坏特殊化，标榜其在破坏程度上的独一无二。

然而值得注意的是，这次空袭的目标并不都与军事相关，不是为了破坏城市军事设施，而是要打击战争士气，让人民屈服，这使得空袭从道义上来说应受到谴责，也确实受到了极为严厉的批判。许多巧妙散布在居民区的军工厂、重要的铁路枢纽，尤其是机场及其周边的军事设施都由于无法理解的原因被放过。这都是出于一个目的：打垮民众的参战意愿，使纳粹政权失去群众基础。可能还有更多的原因，如某个人出于军事战略上的炫耀（"轰炸机"哈里斯），或展示威力，或单纯的复仇。"像德累斯顿一样"有一点是肯定的，即袭击没有针对明确的军事目标。1937年4月，秃鹰军团违背人权法对格尔尼卡进行的轰炸也是如此。与其他众多轰炸行动不同，本来秃鹰军团的袭击目标是一座与军事有关的桥梁，结果却差之千里，在沃尔弗拉姆·冯·里希特霍芬的领导下，平民和城市成为轰炸的受害者。里希特霍芬认为，这次轰炸"简直太棒了"，他也承认其战斗机飞行员的"行为有些粗野"。这是一次对军事和平民目标之间无差别的轰炸。德军在格尔尼卡的轰炸和英美空军在德累斯顿的轰炸二者性质是一样的，并非独一无二。

无疑，德累斯顿轰炸给人留下了深刻的印象。"德累斯顿"成为全面战争的同义词，是因为使用了军事上费尽心机研究出来的火风暴：轰炸诱发的大火吞噬了它所能触及的一切可燃物，使之面目全非；灼热的热风形成燃烧的风暴，将周围的一切贪婪地卷入风暴之中；大火的破坏力令人心惊，它攫取一切可以攫取的氧气，让所及之处的生命皆死于痛苦的窒息。不过，也有其他城市曾领教过火风暴的厉害，最有名的要数1943年汉堡的火风暴，这也是英美空军所为，就破坏程度而言更为严重。火风暴的残酷及其造成的伤亡之惨重，令人震撼。

死亡人数或预估的死亡人数也是德累斯顿至今较之其他城市更受瞩目的重要因素。在战时，死亡人数以惊人的速度剧增——从2.5万人一跃而至25万人。纳粹党的宣传部门就此大做文章，外国媒体也多对这个数据加以肯定并进行传播。这一没有明确由来的数字以讹传讹，后来越来越受到严谨考证的质疑。尽管一流的历史学家委员会对此进行了客观、科学地澄清，但其至今仍在右翼政治圈内持续产生着影响。如果对轰炸造成的死亡人数进行了真实准确的考证，也许"像德累斯顿一样"的说法就不复存在。

第三章
战后的德累斯顿

在历史"回顾"和战时"洞察"之后,我们将从更加重要的和平学视角对德累斯顿进行"展望"。本章我们将对推进和平进程的各种动力进行讨论,这些动力有望让人类从历史上"战后如战前"的恶性循环中走出来。人间地狱宛在眼前,德累斯顿的教训还不够吗?

一

生存与毁灭

从历史和人类学的视角观察一场战争，不仅要考虑其进程，也要考虑其前因后果，才能理解在人类的历史进程中战争为何会无数次地重复出现。个人间的暴力行为已令人费解，战争中的集体暴力就更加匪夷所思。这些暴行犹如噩梦，让人恨不得抛之脑后，尽快忘却。战争的阴暗面和难以形容的痛苦时时浮现，令人难以承受。但是，非凡的韧性能帮我们面对历史、展望将来，并在历史的废墟上塑造新的未来。

瓦尔特·肯姆波夫斯基认为，重建圣母大教堂对满腔热忱的市民来说是一项挑战，任何见证了这一过程的人都会被感动，能感受到他们的小心翼翼和视若珍宝。毁坏的部分被更换，幸存的部分被妥善安置。他确信，人们会从"这一个十年到下一个十年"，把对德累斯顿的历史记忆"置于全新的背景中"。

城市会因火灾（芝加哥1871年）、地震（旧金山1906年，东京1923年）、战争（华沙1944年，广岛1945年）或其他原因（洪水、海啸、瘟疫等）而被摧毁，但它们不甘听天由命，并最终战胜了灾难。每个悲剧都有一线希望，尽管希望如此渺茫。那些大部分在战争中被夷为平地的城市，灾难之后浴火重生，闪耀着独特的光芒。经历过个体及集体的创伤，我们生命的潜能重新焕发活力，驱使我们坚强地活下去，开启新的生活。德累斯顿就是个鲜活的例子，它凭借无法抑制的求生意志活了下来。

为了从破坏—重建—再破坏的恶性循环中有所突破,在贝德克尔袭击、肆意轰炸有历史价值的建筑物,以及破坏、盗窃和抢劫可移动文化财产(雕塑、绘画和书籍等)的背景下,国际社会于1954年达成《关于武装冲突情况下保护文化财产的海牙公约》。截至2018年,已有132个国家签署了该条约,同意在战争中保护某些特别重要的文化财产免遭破坏或他用。保护协议的目标如其序言所说,"对文化财产的任何破坏,无论其属于哪个民族,都意味着对全人类文化遗产的破坏",因为"每个民族都对世界文化作出了自己的贡献"。联合国教科文组织的任务是确保这一点得到遵守。1972年《世界遗产公约》重申并确认了对受到威胁的文化财产进行保护。所有潜在的交战国都应了解有保护价值的文化财产,它们应从形形色色的空袭目标中被明确排除。行人可以通过蓝白相间的标志[图3-1]来辨别建筑物的价值,这种标志通常被镶嵌在受保护建筑的入口处。此前,为保护文化财产,"美国战区艺术和历史遗迹保护和抢救委员会"于1943年成立,其后,在英美军队中也建立了特殊机构,如古迹、美术与档案科。

图3-1 1954年《关于武装冲突情况下保护文化财产的海牙公约》的标志

二

清理废墟

战争结束了,人们还能做什么?他们首先必须清理废墟[图3-2、图3-3],哀悼并埋葬留在那里的逝者,这就是现实。之后,他们才能有可居住的环境和可通行的道路。此时的重建工作庞大到无法估量,但对未来的希冀战胜了放弃和沮丧,人们期待新的开始。战争刚结束,幸存者便合力爆发出无法想象的能量,重新推动社会前进的车轮。只是,此时他们无暇他顾,无法苛求他们在家园的建设中发挥创造性。人们在简单地清理废墟时,并未考虑到它们可能会被彻底毁掉。战后的德累斯顿就发生了这种状况,一些具有历史意义的建筑残存的部分被匆忙拆除了。

德意志民主共和国直到解体都因物资和金钱等资源紧缺而背负骂名,但它在重建工作方面所做的努力,尤其在德累斯顿,应予以特别肯定。当时,要修复被破坏的城市,必须具备相当的物资和人力,但其时经济已被战争拖垮。

当时的苏联占领区因缺乏对情况的了解或出于经济的考虑,出现了许多建筑造坏或造错的情况。在建筑史上,还出现了社会主义的古典主义、斯大林巴洛克式和斯大林哥特式的建筑,即所谓的"东方现代主义"。这种样式的建筑和艺术品在1989年柏林墙倒塌和铁幕打开后,是否应该或在何种程度上加以保护并保存下来?两德统一后,关于这一点的讨论非常激烈,尤其是针对德累斯顿。

图 3-2 清理废墟

图 3-3 废墟列车

商业也迅速发展起来,尽管多数店铺都是临时搭建的。这就是惊人之处:私人创业、需求和供应推动了重建,并与政府对就业和收入、基础设施的投入相结合,使日常生活重新走上正轨[图3-4]。

图 3-4　第一批供给人民的商业

三

战后重建

当人类不仅作为个体的行为者,而且作为一个集体创造了一个生活空间,使他们即便在恶劣的环境下也能生存下去时,其生存和生活的意志是惊人的。由于战争的破坏,人们重建方面的成就最容易吸引眼球。通常情况下,建设、解构和重建很难相互比较,特别是在时间上。建设或重建需要长期规划和实施,需要大量物资和人力,却可能在很短的时间被拆毁(解构)。面对无法避免或已经发生的解构,人们并不灰心丧气,即使竭尽全力,也要进行建设和重建,这是一种非凡的"魅力",在德累斯顿表现得尤为明显。几百年来,建设、重建和毁坏在此交替进行:三十年战争(1618—1648)中,瑞典军队烧毁了部分城区;七年战争(1756—1763)中,普鲁士军队对城市加以破坏;拿破仑时期(18世纪末19世纪初),战争动荡,城市损毁;二战快结束时(1945),又遭遇破坏性极强的轰炸,德累斯顿就是城市建设和重建的大师。

短短数小时内,大半城区灰飞烟灭。死者不能复生,而伤者不得不带着残缺继续活下去,理想已逝,徒留废墟。通常与破坏、死亡相关的痛苦和创伤,要在几代人之后才会逐渐抚平,德累斯顿也不例外。

图 3-5 圣母大教堂

尽管如此,德累斯顿也全力投入重建工作中,有的很快就完成了,有的则持续了几十年。以1989年为分界,重建是在两个先后存在的政治体制下进行的,即二战后成立的德意志民主共和国和统一后的德意志联邦共和国。统一后,政府对重建投入的物力和财力明显增加,完成率也提高不少,但令人遗憾的是,有些为时已晚。

1989年之前的重建

苏联占领时期,德累斯顿在重建工作中举步维艰,整体或完整的修复囿于有限的财政难以实现。因此,直到1989年,德累斯顿内城的先期重建都只能在最低的财政投入下进行。如果预计的建筑方案预算十分高昂,那么在相当多的情况下政府就会放弃重建哪怕极具历史价值的建筑。废墟被简单粗暴地清除,三下五除二,常常无法挽回。圣母大教堂[图3-5]也成为经济压力的牺牲品。政府转换思路,决定不再重建圣母大教堂,而是将其废墟保留,作为战争的纪念。这是一个更经济且有一定意义的解决方案。当时的民主德国领导人宣称,此举是为了激励人们为和平而行动。圣母大教堂在社会主义时代之后重建,成为世界和平与和解的象征,这也符合最初的理念,即民主德国想要将它的毁灭作为一种警示,同样是对和平的呼吁。仅在建成后的两年半内,它就吸引了500万游客。2009年,德国总理默克尔陪同美国总统奥巴马到此参观。这座教堂不仅是德国统一的象征,也是德国与二战战胜国和解的标志。

图 3-6 二战后的森伯歌剧院内景

与圣母大教堂不同,民主德国的领导层对森伯歌剧院[图3-6]的态度则恰恰相反。它当即就被重建,恢复了最初的用途。之所以会有这种差别,大概原因在于一个是教堂,具有宗教意义;一个是歌剧院,具有世俗意义。在民主德国时期,森伯歌剧院的重建成就还作为功绩印在了邮票上[图3-7]。

即使在遗址保护方面的措施很有限,民主德国也不允许自己在通过建筑表达自我的国际竞争中被代表主流的现代建筑所抛弃。

图3-7 邮票上的森伯歌剧院

建于1969年的文化宫[图3-8]，原先配备了近3000个座位，最初是一座位于市中心的高楼，属于后现代主义建筑之一，十分具有代表性。不久前，文化宫进行了重要的现代化改造，采用了全新的设计。如今，这里是德累斯顿交响乐团的音乐大厅。文化宫里的巨型社会主义壁画"红旗之路"[图3-9]，经过激烈辩论，被作为文物保存下来。

另一个代表性建筑是德累斯顿电影院[图3-10]，建于1972年。它是民主德国最早的圆形大厅之一，展现了社会主义的创造力和生产力。这座宽50米、高20米的环形影院，可容纳近千人。

图3-8 文化宫，1972年

图 3-9　壁画"红旗之路",1969 年

图 3-10　德累斯顿电影院

1989 年之后的重建

1989 年后德累斯顿的重建,仅从森伯歌剧院就可看出绝非从零开始。尽管许多废墟在战后不久的清理工作中荡然无存,但也有一些废墟,如圣母大教堂[图3-11、图3-12],得以转移并保存下来,以便将来有条件时重新加以利用。总的来看,在 1989 年新的政治和经济条件下,重建工作取得了重要进展,实现了一些以前无法想象的项目。在对历史老城的风貌及独特建筑结构的评论中,1989 年后的重建成就,得到的评价尤其高。

圣母大教堂的重建是个很好的例子。重建不仅要考虑战时被毁的历史建筑,还要考虑通过新的建筑项目来振兴城市。所以,在此应介绍一些引人注目的未来主义建筑,如圣本诺高级文理中学(1996)、UFA 电影中心(1998)和玻璃厂(2002)。

图 3-11 重建圣母大教堂,1996—2006 年

图 3-12 二战后的圣母大教堂及重建后的新市场

1709年建立的圣本诺高级文理中学[图3-13],是国家认可的教会资助机构。作为德累斯顿－迈森教区的私立学校,它的名字源于教区守护神本诺·冯·迈森。今天,这所学校拥有700多名学生和70多名授课教师。学校的教学重点集中在语言、科学和艺术领域,教育方针和计划特别体现在价值教育的重要性上,包括个人成长、社会责任、社会政治判断等。1939年,学校被纳粹党关闭,直到两德统一后才重新开放。从那时起,这座建筑获得无数殊荣,给人们留下了深刻印象。

UFA 电影中心[图3-14],建于1998年,是一座倾斜严重的钢铁和玻璃建筑,混凝土主体的倾斜度非常大,不仅在建筑学上与民主德国的板式建筑产生鲜明对比,也与该建筑群的主体环形影院迥然有别。这座建筑拥有2500多个座位,可用于电影放映。

图3-13 圣本诺高级文理中学

图 3-14 UFA 电影中心

当大众汽车公司计划在德累斯顿市中心建一座汽车制造厂,并公开了"透明工厂"的规划时,遭到了民众的强烈抵制。主要因为其地点靠近大公园,会对交通有影响,且不利于动物保护(如巨大的玻璃外立面会给鸟类造成死亡隐患),建筑风格与周围的巴洛克风格不相容。如今,这座 2002 年开业的玻璃大厦[图3-15]充满现代感,通体透明,为城市增色不少,差不多可以说是地标之一。经过不同的产能利用(大众的旗舰车型辉腾和宾利汽车最初在这里组装),大众现在正在"透明工厂"生产电动汽车,感兴趣的参观者可现场观赏生产过程。

图 3-15 大众的透明工厂

四

城市的政治化

　　70多年后的今天,德累斯顿虽已通过重建恢复旧貌,但其遭遇的战争创伤仍历历在目。对那些永无休止的谎言,尤其是右翼政治阵营的谎言,人们记忆犹新,这倒不失为一个积极的副作用。右翼势力企图用"被摧毁的"德累斯顿来对抗同盟国,特别是英国,将德国塑造成战争受害者。

　　超越历史或国家的狭隘性,从人类学和国际视角看德累斯顿,它不只是重生的"易北河畔的佛罗伦萨",富有巴洛克式的魅力,也是历经战火后肩负历史使命与和平责任的德国城市。这座城市虽遭遇过重创,如今却获得极高的吸引力和知名度,令其他城市难以望其项背。

　　根据德累斯顿旅游中心2017年的信息,每年约有1200万人(包括3万名中国游客)游览这座约55万人口的城市,其中近600万人在此留宿。他们不仅想在圣诞节前参观1434年就存在的传统圣诞市场[图3-16],更是为了欣赏这座城市的艺术、历史建筑和广场之美,感受这座曾经以艺术之美享誉历史,后深受战争苦难,现又重现光辉的城市。在这里的见闻将触动他们的心灵,提醒人们要尽可能避免重演"德累斯顿"的悲剧。今天,德累斯顿再次成为一座美丽的政治城市。

德累斯顿被视为绿色都市，它的面积约 600 平方千米，约三分之二为森林和绿地，是德国第四大城市，仅次于柏林、汉堡和科隆。易北河蜿蜒 30 多千米穿过这座城市，成为一道亮丽的风景线。

德累斯顿不仅是绿色宜居的文艺之城，也是有发展目标和远大抱负的科技之城，或许也是德国综合实力最强的城市之一。德累斯顿因为在电子领域的公认成就而被称为"萨克森硅谷"，这一称号不仅强调了它要以加利福尼亚的硅谷为榜样，而且也明晰了它位于萨克森州。

仅在媒体、信息和通信技术领域，德累斯顿就有近 5 万名从业人员。在德累斯顿的 9 所大学中，德累斯顿工业大学最为著名。2012 年，它成为精英大学，拥有约 3.5 万名学生，是德国最大的大学之一。在艺术领域，德累斯顿造型艺术学院享有盛誉。德累斯顿拥有近 50 家博物馆、60 个画廊、80 座图书馆和档案馆、35 个剧院和表演场所、17 家电影院和 2 支管弦乐队。对文化遗产感兴趣的人，可在德累斯顿的 1.3 万个遗址流连忘返。对自然感兴趣的人，也可在德累斯顿近 15 个自然风景保护区和 100 多个自然景观之间徜徉。

德累斯顿是萨克森州的首府，也是萨克森州议会等权力机构的所在地。2015 年，欧洲委员会授予德累斯顿欧洲奖，以表彰其对欧洲思想的贡献。在德累斯顿的众多友好城市中，要特别提及考文垂和杭州。1959 年，德累斯顿与考文垂结为友好城市，因为两城都曾惨遭大规模轰炸，同病相怜。2009 年，德累斯顿与杭州结为友好城市，因为两城有着合作伙伴关系。

图 3-16 德累斯顿的传统圣诞市场

戈培尔曾在政治上利用德累斯顿轰炸，夸大死亡人数，以此攻击英美军事联盟。后来，民主德国将每年的轰炸悼念活动与反美宣传相结合。德国国家民主党成员对德累斯顿轰炸的后果使用了"大屠杀"一词，并将其运用到对德累斯顿的大部分破坏上，2005年更是称其为"轰炸大屠杀"。这还不够，2014年以来，德累斯顿出现了由一个协会发动、组织和推进的反西方伊斯兰化的示威游行［图3-17］，并多次不光彩地登上新闻头条。在反西方伊斯兰化的爱国欧洲人的名义下，那些右翼民粹主义者和极端种族主义者联合起来，他们的示威游行损害了德累斯顿友好且具有政治批判性的城市印象，更损害了它兼容并包的国际形象。

在此重点指出新纳粹运动，不仅是为了展示德累斯顿现在的真实面貌，也是为了突显德累斯顿一直以来所面临的挑战。

图 3-17　反西方伊斯兰化的示威游行

不可否认，反西方伊斯兰化在德累斯顿的势力不可小觑。极端右翼政党的成立，让这一现实日益政治化。选择党的成立及其选举结果令人吃惊。2019年的州选举中，选择党获得了27.5%的选票。在与有种族倾向的市民辩论后，政府开始保护反游行者。一方面德累斯顿的右翼势力崛起，在议会占据一席之地；另一方面议会受到右翼民粹运动的影响，右翼政党的立场也得到部分民众认可，加速了右翼势力在壮大这一印象的蔓延。

长远来看，整个欧洲的右翼民粹主义的支持率会处于较低的两位数水平。德累斯顿也不例外，尽管它有着纳粹的历史烙印，但这也是一个警示。德累斯顿市议会有一个小党，是一个讽刺性政党，在政治上主要是象征性的，该党对右翼民粹主义作出了反应。它的一名代表马克斯·阿申巴赫带来一项以39票对29票通过的决议，以所谓"纳粹紧急状态"为基础，明确指出事关政治形象，应反对任何右翼的破坏企图，重视推进德累斯顿的民主政治文化。国际媒体，如美国有线电视新闻网（CNN）注意到该决议，以"德国城市德累斯顿宣布'纳粹紧急状态'"为题向全球传播。这种做法也算是印证了阿申巴赫提出的批评，即近年来这座城市对社会右翼的批评声实在太少。

图 3-18 "不可分割"的反示威游行

绝大多数德累斯顿人及其在政治、文化、宗教等方面的代表，不仅在公民社会和政治上保持清醒，而且还通过反示威游行［图3-18］等方式与右翼势力对抗。尽管反右翼联盟形成较晚，但却发挥了积极的作用。2018年10月21日，在反西方伊斯兰化运动兴起四周年之际，德累斯顿有1万人在"用心代替煽动"的口号下举行游行，参与者包括萨克森州州长、副州长和科学部长，他们为民主、包容和面向世界而游行。

反西方伊斯兰化运动的成员通过德国选择党发表其观点。选择党在德国联邦议院和州议会中都有代表，在意识形态上处于极右翼，其支持者最多的地区恰巧就在德累斯顿及其周边，这不禁让人回想起那段黑暗的岁月：巧合或并非完全巧合的是，历史上正是在这个地区，也就是萨克森，纳粹党第一次登上了政治宝座。据统计，在萨克森州，选择党在州议会的最终选举中获得了27.5%的选票，位居第二，比其他德国联邦州的选票都多，这一令人震惊的结果给公民社会带来了巨大的压力。

德累斯顿处理历史负担的诚意和大多数市民抵制右翼活动的决心，在强度和广度上令人印象深刻。面对右翼政治运动带来的挑战，市民们创建了众多文化协会，发起了无数政治行动，轰轰烈烈，努力杜绝集体毁灭的历史悲剧重演。

五

和平建设

有人也许会说,德累斯顿一直以来都在舔舐自己的伤口。即使有些人,尤其是右翼势力仍倾向将战争的责任转嫁给进攻者(指英美盟军),但大部分德累斯顿人早已明白轰炸事出有因,意识到自己背负着向世界警示战争的使命。基于这一理念,德累斯顿人发出倡议、开展运动和成立组织,致力于唯一的共同目标:战争不应存在,人类必须寻求与实现和平共处。

寻求真相

2004年11月,德累斯顿市市长英戈尔夫·勒斯贝尔格召集并成立了历史学家委员会,对1945年2月13日至15日的德累斯顿轰炸展开客观调查。委员会不仅要尽可能精确地统计轰炸中的伤亡人数,还要通过计算机断层扫描技术来分析和展示整个事件,包括各种建筑和交通网的破坏程度。市长希望借此消除社会的情绪化倾向,并为进一步调查和出版奠定基础。事实上,没有其他研究可以与委员会的调查结果相媲美,他们在许多方面都制定了标准,未来的相关研讨都有赖于此。

2010年，公众热切期盼的最终报告公布了。为尽可能精确与轰炸相关的死亡数和难民数，委员会不仅在德累斯顿市立档案馆里翻了个底朝天，还对全德800多家档案馆和研究机构进行了调研。丰富的电子数据库收集并确认了证明某人死亡的材料，共寻找到57569人的档案信息。为获取精确到个人的证明，委员会对德累斯顿的31个墓地和周边的17个墓地展开调查，对安葬人数进行的准确调查起到了关键作用。历史学家委员会考虑了所有可采纳的证据、可能的反馈及来源，确定了被杀害人数的最大值不会超过2.5万。对此，委员们不厌其烦，强调调研不是为了确定精确到个位的数据，而是想从混乱与矛盾的数据中找到最可能的数值。

时至今日，有些话题仍被热议着，如同盟国的意愿或利益诉求、政治家和军事家的动机，以及对轰炸特别是英国空军的区域轰炸的道德评价等。随着迪特·聚斯的研究突破，调查达到了一个新的复杂水平。他从战争社会的角度来阐明和评价军事进程，摆脱了主要基于定量研究结果的评价（如单个袭击、武器系统、轰炸总吨量、死亡人数、伤残人数等）。另外，个别教会在战争问题上的态度也对这种评价产生了一定影响。

同盟国的动机

有一种老套的说法，认为德累斯顿遭到袭击并被夷为平地，纯粹出于盟军的破坏欲，右翼政治力量持此论者尤多。

从军备工业和军事战略重要性看，德累斯顿确实是同盟国的潜在进攻目标。至少早在1943年和1944年莱比锡被轰炸后，就应预料到德累斯顿有被轰炸的风险。这座城市的州党部头目不顾纳粹政权的防空要求，也无视对德累斯顿的近在咫尺的威胁，忙于发国难财而不是优先进行防空保护，导致德累斯顿的防空准备不足。1944年8月24日，德累斯顿遭遇第一次轰炸；1944年10月7

日，第二次；1945年1月16日，第三次。第四次轰炸包括四波史无前例的毁灭性空袭：第一波在1945年2月13日，第二、三波在1945年2月14日，第四波在1945年2月15日。之后，还有两次轰炸，一次在1945年3月2日，另一次在1945年4月17日。这些都进一步说明了德累斯顿的军事重要性。德累斯顿前后共在8个不同日期被轰炸，这在军事上显然不是无计划的，或许它很早就成了军事反攻的目标城市。

战前，德累斯顿已建立了不少军事设施。早在1870年，市中心北部的阿尔伯施塔特区就被设定为自给自足的军事区，有着全德规模最为庞大的营房。纳粹党掌权时，这一地区得到充分利用，被大规模扩建。此外，德累斯顿还设有不同的指挥中心。德国空军在此设立了自己的空军学校和重要兵营。1945年2月，德累斯顿是东线仅存的驻军城市，根据军事惯例，它理所当然会被轰炸。如弗里德里克·泰勒的冷静分析所言，德累斯顿是高度军事化的。

战争开始时，德累斯顿是德国最大的工业基地之一。在这里，工厂通常散布在居民区及其附近。德累斯顿约有110家工厂和5万名工人。战争快结束时，这些工厂都转变为军工厂，用于武器生产。除了城市无数营地里的强迫劳工和10个集中营的监禁者外，战争结束的几个月前又有5000人，包括2000名犹太人和囚犯，被投入军事生产中。

事实上，这座位于东南边缘的城市，成为当时德国的一个盲点，直到战争快要结束才受到攻击，这可归因为盟军战机的飞行距离限制——考虑到射程，选择其他城市为目标会更近一些。然而，从当时的政治家和军事家的视角看来，对德累斯顿的袭击仍具有重要意义。它是柏林和布拉格、莱比锡和华沙之间交通网的重要枢纽，纳粹军队的供给基本都会通过德累斯顿。德累斯顿是帝国铁道部驻地，拥有货运和调度火车站，以及维修工厂和火车制造厂，是战时最重要的转运点之一。在此背景下，对德累斯顿的轰炸被苏联红军纳入主要计划。苏联红军和盟军商定了同盟国在东线的轰炸目标界限和清单。1944年2月5日轰炸柏林时，如果当时天气条件不利，那么德累斯顿就是替代品，也许就会提早一年成为大规模轰炸的目标。

为什么是德累斯顿？克勒霍夫认为，这座巴洛克式的城市被摧毁是因为英国皇家空军有能力这样做。在他看来，德累斯顿只是"偶然"地成为空战的高潮。根据他的经验，1940年德军对伦敦的轰炸不仅没有使英国人分崩离析，反而激发了英国人的凝聚力，"士气轰炸"的军事意义要打上大大的问号。从军事角度看，"士气轰炸"一直都没有像预期的那样成功过。然而，克勒霍夫指出，通过区域轰炸，如英国皇家空军夜袭居民区和美国陆军航空队日袭的形式，可以在德国人民和纳粹精英分子间制造分裂，由此打败德国，这种想法直到战争结束都还有拥趸。

英国的区域轰炸战略，旨在打击民众士气，在道义与目标导向上一直存在争议，在军队中也是如此，但它仍是一个核心战略。在这方面，英国的战略与美国有别，美国主要针对与军事相关的目标，轰炸的目的旨在摧毁纳粹侵略者最后一个堡垒。

伤亡人数

长期以来，关于德累斯顿被轰炸的一个讨论话题就是伤亡人数是否达到几十万人。极端者甚至在没有任何证据的情况下，就得出了50万人的结论，甚至估计有75万人死亡。这些观点来自形形色色的左右翼政营，无疑与目前已证实的数据大相径庭。

右翼企图利用无法证实的高伤亡人数，将纳粹党从肇事者的角色转化为受害者。左翼则有意利用高伤亡人数来证明同盟国意在让不断逼近的苏联红军及其政府接手被高度摧毁的德累斯顿，由此尽量削弱共产主义同盟的实力。还有人认为，不排除这样的可能性，即西方盟国刻意在战争结束前通过轰炸向苏联展示其实力。

主张高伤亡数字的一个核心论据是那些失踪者的遗体，在某些情况下，尸体因为高温焚烧而面目全非甚至化为灰烬。另一种说法是，在伤亡人数中，包括难计其数的东普鲁士和西里西亚过境难民。

事实上，在德累斯顿轰炸发生时确实存在难民。然而，因为过境规定，他们最多只能在德累斯顿停留一晚，任何情况下都不允许在那里定居。因此，在德累斯顿过夜的难民数是可控和有限的。关于"德累斯顿挤满了难民"的假设与事实不符。

我们也反对这样的论点，认为燃烧的高温让许多在火风暴中丧生的人燃烧殆尽，因此无法统计。就算是火风暴，也不可能达到将尸体完全烧成灰烬的温度。克勒霍夫曾演算过，这种情况一定得温度达到2000摄氏度以上，但即使是火风暴也达不到如此之高的温度，而是在900摄氏度（室外）和1200摄氏度（室内）之间。在火葬场，尸体火化需要在850摄氏度的高温下燃烧一个小时，在此之后，骨头也不会完全烧尽，还会有部分散落在骨灰里。

这种观点还有一种依据是轰炸造成的伤亡数被遗漏或登记不全。历史学家委员会很容易就驳斥了所有这些论点,特别是通过同盟国对德国的空战及其后果的统计调查,这些夸大的数字完全脱离了德国其他城市遭遇轰炸的境况,这一事实有力反驳了伤亡人数过高的说法。

国际红十字会的《1941—1946年联合救援报告》指出,德累斯顿轰炸的死亡人数为27.5万。今天我们知道,这个数字和类似的数字都是出于纳粹党的虚假宣传。早在1945年3月,外交部就指示德国驻中立国代表在其伤亡报告中宣布死亡人数多达20万。

历史学家委员会经过细致的调查发现,基本上只能确认轰炸发生几周后的伤亡人数(分别为18375人和22096人)。轰炸发生一周后,德累斯顿警察局长就估计有25000人遇难。那些直接受到空袭影响的市民人数估计更多,这可能源于他们面对惊慌而产生的混乱。就科学性而言,即使是看似可靠的研究结果,也必须始终接受质疑,历史学家委员会得出的调查结论也不例外,任何人都有权对这一问题进行研究并得出不同结论。

传 闻

关于伤亡数字的推断,还必须研究弗兰茨·库洛夫斯基对格茨·贝尔冈德"野兔狩猎"的指控。它是指盟军不仅开战机轰炸城市,用机载武器射击平民,还故意从低空飞行的飞机上射杀落单的平民。传说这些逃难的民众就像狩猎时的野兔,被低空飞行的飞机追踪和射杀。

历史学家委员会从不同视角对此予以澄清,认为机载武器射击和低空猎杀的说法没有根据。恰如1977年格茨·贝尔冈德和2000年赫尔穆特所指出的,不存在低空飞行扫射,低空飞行的飞机会面临巨大的危险,可能会被高空飞行的轰炸机扔下的炸弹击中。

即使很多人不太乐意接受，实际上所谓的"德累斯顿低空扫射"只不过是一个"无稽之谈"，是一种象征性的想象叙事，通过想象中的地面无助奔逃的难民和空中装备精良的飞行员的强烈对比，谴责英美盟军战时行为的正义性。

相反，对民众的直接轰炸，既不可能从有关轰炸的作战命令中找到，也不见于飞行员的报告。戈培尔出于宣传目的，将个别零散的报道中提到的盟军对市郊的炮击行动移花接木地改为市中心。如曾报道的盟军在市郊的一次射击行动，调查结果证实，在易北河流域进行彻底的土壤采样时没有发现报道提到的弹药。此外，飞行员出于种种原因也不可能进行他们被指控的"野兔狩猎"。

破坏程度

克里斯蒂安·班格尔认为，回溯德累斯顿遭受的破坏是一项挑战。他不仅回顾了德累斯顿火风暴的画面、维克多·克雷佩尔的回忆录和无数关于德累斯顿大规模死亡的报道，特别强调轰炸前"德国人对几百万欧洲人造成了威胁"，并以5个例子（格尔尼卡、华沙、鹿特丹、考文垂和德累斯顿）说明了这一点。他强烈反对把德累斯顿的命运视为独一无二和与众不同的，他认为事实并非如此。人们不能在纪念德累斯顿的受害者时，不去指出纳粹党的生存空间理论和种族意识形态，不去缅怀当时被纳粹党杀害的许多人尤其是犹太人，不去想起被德国摧毁的许多欧洲其他城市。显然，克里斯蒂安·班格尔自己也清楚并强调，从二战现实中选取的5个例子是不完整的，人类经历过类似或更糟糕的事情。他的结论也很清晰，从这5个例子可以看到，德累斯顿被轰炸的灾难根源在于德国本身。

道义之争

由英国皇家空军倡导的区域轰炸战略，以打击民众士气并据此影响政治和军事领导层为目标，至今无论是从军事战略还是从伦理学角度都饱受争议，这种争议在当时就已存在。

在军事上，区域性轰炸的结果往往与其本意相悖：对军事和民用目标无差别地破坏，有时还造成惨重的连带损失，往往导致民众的抗争斗志随着不理解和愤怒而变得更强烈。纳粹政府知道如何利用这点一次又一次地达到宣传目的，将民众对轰炸的恐惧转化为对其发动战争的认可。另一方面，他们也知道，过分强调敌人的进攻手段，例如使用磷弹的威力，可能会打击士气，所以通常情况下，轰炸造成的损失没有得到真实报道，而是被不同的媒体加以淡化或隐瞒，民众因此常常被迷惑。

1942年3月28日至29日夜间，英国轰炸机群在对吕贝克的攻击中首次使用了磷弹，在空袭汉堡时再次使用。根据历史学家委员会的考证，它们并未在德累斯顿使用，否则老城中心区的破坏将会加剧。作为一种化学武器，磷弹如今是被禁用的大规模杀伤性武器，因为无法区分军事目标和平民，会对平民造成极端伤害。磷弹不仅会造成"多余的伤害"和"不必要的痛苦"，还会对环境产生持久的破坏，因而引发了国际社会对磷弹的强烈谴责。然而，直到今天，美国和以色列也不想放弃它们。美国在第二次伊拉克战争中使用了，以色列对付真主党时也使用了。磷弹作为一种燃烧弹，缺点是具有高度毒性，它在约1300摄氏度的温度下燃烧时会产生毒性极高的蒸汽，人体吸入后会导致非常痛苦的死亡。此外，它还极端助燃，尤其是当它与一种橡胶混合物结合时，被袭击的人将无法摆脱这种高温火焰。磷弹中的白磷燃点极低，一旦与氧气接触就会燃烧，即使被水熄灭后还会再次燃烧。

时隔60年后，英国哲学家格雷林认为，轰炸德累斯顿和广岛不仅在道义上站不住脚，而且从军事战略的角度看也是非必要的。同样来自英国的观点，弗里德里克·泰勒也认为，所谓平民的死亡不仅在军事上被认可，而且还成为军事战略，这意味着反法西斯战争已经越过了道德底线。在他看来，英国空军对德累斯顿和其他城市进行的区域轰炸在道义上是不正当的。经过几十年的研究，理查德·奥弗理也得出结论：轰炸，由于其巨大的破坏性尤其是不成比例的高伤亡，让被袭击国付出了过于高昂的代价，在战争决策和道义上都无法立足。他的一个发现尤为重要：与其他参战的空军相比，英国皇家空军是唯一在军事战略上提出攻击平民的。

英国皇家空军将与军事高度相关的设施排除，不顾军事战略的后果，专注于针对平民的"士气轰炸"。这里仅举一例：德累斯顿飞行员训练场（1935—1945）和位于德累斯顿机场附近的克洛采的空军学校都未遭轰炸。从军事战略看，如果不是出于盟军为未来占领而计划利用机场设施的远见，那么这就是一种"荒诞的行为"。然而，如果盟军不想另一个盟友在占领德国时获得更大优势的话，那么空军学校和机场也应成为轰炸目标。

迪特·聚斯缜密地对欧洲军事历史进行了研究，令人印象深刻；理查德·奥弗里也加强了对战时社会而不只是对军事政治和军事策略的反思。战争研究整体上似乎正在发生质的飞跃，但远未到达其可能性的终点。批判性的和平研究不仅依赖个案分析，也需要在整个历史背景下解析和阐释战争，聚斯和奥弗里的研究积极推动了此项工作。

谁发动了"全面"战争？在对轰炸进行道义评价时，这个问题是关键。根据弗兰茨·库洛夫斯基的历史修正主义观点，一战后，英国的特伦查德将军和意大利的杜黑将军是首先考虑使用空军的人，其中明确包括对敌人进行无差别轰炸。库洛夫斯基在其众多右翼民粹主义的出版物中试图通过强调德国的不幸经历来减少德国的战争罪责，他试图论证，罪责不在德国而在其他国家。

奥拉夫·格罗勒也代表了军事历史学的观点，他认为纳粹德国打开了区域轰炸的潘多拉魔盒，对军事和平民目标进行无差别轰炸。早在1933年，德国就想对平民使用炸弹、燃烧弹和毒气弹。1937年4月，秃鹰军团袭击格尔尼卡时也并未轰炸对军事战略有利的桥梁，而是大规模袭击平民，造成了众所周知的破坏性后果。巴勃罗·毕加索将这一人间惨剧描绘在了闻名遐迩的巨型油画《格尔尼卡》中［图3-19］。

赖讷·波莫林针对平民的区域轰炸发表了不同观点，他认为一战结束时德国的齐柏林飞艇和巨人轰炸机对伦敦的袭击是决定性的转折点。因为空袭，英国政府开始关注空战，成立了独立于陆军和海军的皇家空军。1917年，英国曾设想了一场针对德国城市的全面轰炸战争。由特伦查德将军主导的作战手册中，设想通过轰炸不仅要击溃敌军，而且要动摇敌人的士气和抵抗信心，由民众影响政治领导人，从而达到停战的目的，即"士气轰炸"。通过轰炸让敌人明白，平民和军队之间不再有区别。1932年，一些法学家试图禁止以恐吓民众为目的的空袭，但未取得成功。

回顾历史，我们会从终结二战的角度看待德累斯顿轰炸，并认为这在情理之中。然而，在轰炸发生的那一刻，行动的负责人也无法精确预判战争是否即将结束。从军事角度看，轰炸有利于结束战争，但这并不意味着不能对轰炸进行道德谴责。不少人认为，区域轰炸在道义上是站不住脚的，完全是非正当的。

换个视角，区域轰炸的倡导者可能认为他们不仅在道义上清清白白，而且在战争即将结束的某个时间点上也无可指摘。区域轰炸与希特勒之前的做法一脉相承：实施区域轰炸的人，不能抱怨自己也是受害者。1945年3月19日，面对同盟国军队已越过莱茵河、苏联红军已越过奥得河的状况，希特斯下令，德军在军事撤退时要摧毁一切可能对敌人有用的东西，如军工厂、交通枢纽和各种工业设施等。但此举遭到不少人尤其是工业家的反对，拒绝听从他的命令进行无意义的破坏。

1945年4月9日黎明前，希特勒意识到千年帝国覆灭在即，于是将弗洛森比尔格集中营的6个"最后被俘的反对者"绞死。神学家迪特·邦赫费尔，军官汉斯·奥斯特、威廉·卡纳里斯和路德维希·盖尔，法学家卡尔·萨克和特奥多尔·施特龙克曾试图谋杀希特勒，以推翻纳粹政权。同一天晚上，工艺木匠格奥尔格·艾尔斯讷在达豪集中营被处死，他曾在1939年试图用炸弹炸死希特勒；律师汉斯·冯·多纳易，他是邦赫费尔的姐夫，曾参与谋杀希特勒，也被绞死。1945年4月23日夜晚，其他反纳粹者在柏林被党卫队杀害。柏林"德国反对者纪念馆"主任约翰内斯·图赫勒认为，纳粹政权在最后时刻疯狂迫害反对者是"不让他们为建设新的德国发挥作用"，希特勒"明确而毫不含糊地想要复仇，幻想复仇到底"。

图 3-19 格尔尼卡（巴勃罗·毕加索）

重建和创造的意愿

战争的受害者通常无暇哀叹，转身即投入重建之中。他们重建和创造的意愿不仅没有被战争打垮，反而被点燃了。这种意愿的表现形式不仅有短期的创伤治愈，还有长期的反战、支持和平的政治行动。本书的重点就是描述这一意愿，并将其丰富多样的特点一一展示。

积极的参与者，包括来自政界、商界、教会、协会、社团的代表和其他社会力量，大学的历史学、法学、和平学研究者，围绕已发生的战争和可能的和解进程等问题展开研究，媒体、社会运动团体、从幼儿园到大学的教育机构也参与其中。从文学到视觉艺术，再到戏剧和音乐，战争及其后果也成为艺术表现的主题。战争之后是和解，相较之下，发动战争要比摆脱战争、寻求和解并成功结束战争简单和迅速得多。

在寻求可持续和平的解决方案上，专业的冲突化解可分为三步：第一步，通过对话和非暴力直接行动尽快结束军事冲突；第二步，通过单纯的宽恕甚至遗忘来启动和解，直到并包括开设真相法庭；第三步，维护国家间的和平状态，将在化解国家间具体冲突方面的经验应用于其他潜在或实际的冲突领域，在全球范围内提高和平意识。

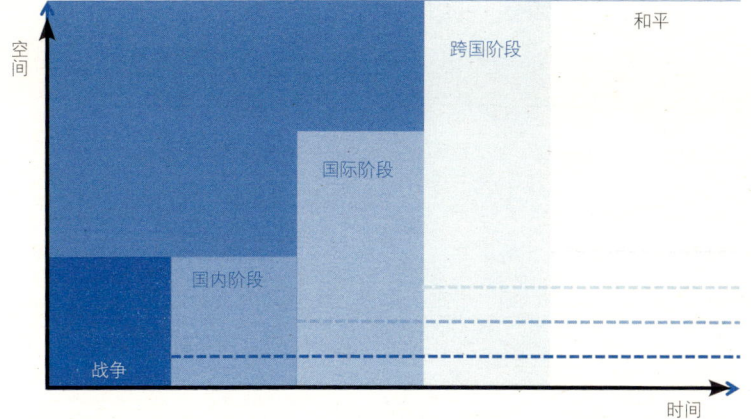

图 3-20 时空图上的战后行动

这张时空图[图3-20]中没有对时间和空间进行具体标注,只是描绘出一个战后的动态,这并不是一个普遍适用的准则,也不是对所有情况都适用的模式。无论战时的冲突细节和随后为和解而作出的努力如何不同,我们都可以从战后发展中获得一种应对战争及其后果的范式。

第一阶段,战争发生国,无论在战争结束后是以胜利者还是失败者的姿态出现,都把目光投向自身,对和平是沉默的。当时面临的紧急任务是处理战争遗留的有关民众、经济和道德等问题。全社会的意识与国家视角保持一致,重建和复原占据了全国上下所有的精力,一切资源皆为此服务。

第二阶段，已经稳定下来的战后国家，视野有所拓展，开始反思与旧敌建立新的睦邻关系或和平共存的必要性和步骤，继而开始协商，并加速推进这一进程。由于行动范围不断扩大，它的视角越来越国际化，并认识到跨境交流、对话和合作对本国所产生的积极影响。

第三阶段，国家因其繁荣的经济和安全的环境在国际占有一定地位，不仅能稳定地维持和发展国际交流的网络，而且有效地使其形成一个具有经济和政治约束力的联盟，它的视角已经是跨国的。通过这种方式，国家无需牺牲自己的特殊利益，却能在全联盟内实现广泛的利益平衡。

图 3-20 简要演示了从国内到国际，再到跨国的逐步发展，以二战后的德国发展状况为例。虽然德国最初只关注自己（国内），但由于其近邻的压力和几次不应有的让步，它寻求并促进了与法国、波兰等国的经济文化交流（国际）。今天，这些国家又在欧洲国家联盟中与其他许多国家联合起来（跨国）。

从敌人到盟友，这种急剧的转变绝不意味着文化特殊性的衰落，而是以充满希望的方式证明了这样一种观点：人们超越民族身份，通过共同的生活彼此关联。在无数共性的基础上，只需一个良好的意愿，国与国便能走到一起并形成一种归属感。成功实现这一目标的国家，不仅保持了已有的成就，而且培育和创造性地发展了它。

图 3-21　自我同情（自我）— 和解姿态（国家间）— 联合过程（跨国）

这里描述的进展阶段，可通过竖立纪念战争死难者的纪念碑为例说明，决定是第一阶段（国内），与其他国家达成双边协议是第二阶段（国际），继续发展。最后，在进行结构性联合（基于共同点）时，到达第三阶段（跨国）。这些阶段并不互相替代，即使在第三阶段，前两个阶段不仅继续存在，而且沿着各自的目标方向行进。在一个跨国联盟内，修建纪念碑和缔结双边条约等举措可同时进行，并井然有序。

从另一个不同的视角[图3-21]，可以看到一个国家寻求和平的上升式过程，首先是自我的阶段——自怜、自伤，之后是战争发起方请求宽恕与和解的阶段，最后通过努力，在许多方面达成联合，形成联盟或统一。

阶段性视野

就德累斯顿而言，轰炸使得历史古城变成断壁残垣，工厂、军事目标和居民区严重受损，以这样的境况为起点寻求和平，大致分为三个阶段：国家纪念活动—国际和解—跨国和平行动。其间，文学和艺术通过令人警醒的作品，贯穿了所有阶段。这三个阶段的持续努力都揭示了战争的深刻创伤，以及它们对受害者的影响何等持久。

在探讨战后德累斯顿的和平建设前，我们不妨先关注考文垂。考文垂和平事业的发展印证了上述三个阶段的理论，并呈现出三者融合发展的局面。

考文垂是英国具有重要军事战略价值的城市之一。1940 年 7 月和 8 月，当时拥有 32 万居民的考文垂遭到德军轰炸。1940 年 11 月 14 日晚，它又遭遇 515 架轰炸机的重创，讽刺的是，这次行动被命名为"月光奏鸣曲"。考文垂市中心几乎被夷为平地，约 4000 座房屋被摧毁，6 万座建筑和分散在居民区的四分之三的工业设施严重受损，包括两座医院和著名的考文垂大教堂。当晚，约 568 人丧生，1000 多人受伤。

斯特凡·戈贝尔认为，考文垂轰炸不仅针对重要军事目标，也针对住宅和文化遗产，戈培尔可能就是在其后才制定了全面战争策略。弗里德里克·泰勒则认为，考文垂轰炸使用了全面战争策略，以大量平民的伤亡来打击敌人的士气。1941 年 4 月和 1942 年 8 月，毁灭性的轰炸接踵而至。考文垂在 1940 年 11 月 14 日至 15 日遭遇轰炸时，和德累斯顿一样毫无防备。

与德累斯顿圣母大教堂的命运不同，考文垂大教堂并未重建，而是在争议中作为废墟保留下来[图3-22]，并在旁边建造了如今广受欢迎的新教堂。这两座教堂因共同的命运相关联，既警示着毁灭，又象征着和解的能力、决心和意愿。

遭受轰炸后，考文垂还沉浸在哀悼活动中时德军便再次发动空袭。在短时间内发动如此密集的攻击，这是一种背信弃义的行为。今天，考文垂仍有哀悼、国家纪念等活动，处于上文提及的第一阶段，可以预见它将继续贯穿下一阶段。

图 3-22　丘吉尔参观考文垂大教堂废墟

令人惊讶的是,考文垂的第二阶段到来得非常早,几乎与第一阶段重合。在毁灭性袭击发生 40 天后,考文垂大教堂主教理查德·霍华德在圣诞节的广播中呼吁和解,"当这一切结束后,我们必须向我们的敌人伸出我们的手,以圣子耶稣的名义,与他们一起建设一个更美好的世界","我们想告诉世人:今天,耶稣又在我们心中重生。尽管很艰难,但我们还是要打消任何复仇的念头"。1941 年 1 月,他将令人难忘的请求雕刻在了教堂废墟上:"圣父宽恕"[图3-23]。

图 3-23 "圣父宽恕"

虽然纳粹德国给英国造成了苦难,但奇切斯特的英国国教主教乔治·贝尔还是在 1941 年首次谴责了英军的区域轰炸战略和做法,称其在道义上站不住脚。除了他,至少还有两位英国工党议员也表示反对。丘吉尔最初下令轰炸德国,但后来又与空军元帅哈里斯疏远,不是出于道义而是出于经济考虑。他认为,尽管轰炸师出有名,但要审慎对待为了制造恐慌而轰炸德国城市的问题,否则英国未来掌控的将是一片焦土。还有一些人深深地痛恨纳粹德国的恐怖轰炸,但还是出于道义和经济上的原因,甚至在战时走进敌人的领土,显示了国际人道主义精神。我们在其中看到了第二阶段到来的征兆——具体的和解。

在第二阶段明确的时间点方面，考文垂出现得比较早而且较为明晰。早在20世纪50年代初，考文垂教区的教徒就与德累斯顿民众接触，向他们提出了和解的建议。此后，我们在波兰也看到了同样的努力。战争结束20年后，波兰天主教的主教们不顾教区和管区里不时出现的强烈反对声，与德国天主教的主教们接触，向他们提出了和解的建议。这两种情况都令人吃惊：不是侵略者接近受害者，而是受害者去接近侵略者；不是恐怖主义国家或其继承者请求宽恕，而是纳粹政权战争暴行的受害者展现宽恕。这两种情况，有时会遭到国民的大规模抵制。被压迫者向压迫者伸出和解之手是一种常人难以理解的无条件的人道主义。此举不仅要考虑到国民的强烈反对情绪，还要对此作出妥善应对，让和解的提议能够行之有效，国民的凝聚力不会因此分崩离析。对许多人来说，内心的战争创伤还未愈合，还沉浸在悲痛中，这种和解行为似乎显得不恰当、不得体和不合时宜，它来得为时过早，令人难以接受。

1959年，考文垂和德累斯顿成为友好城市。1965年，考文垂的年轻人参与了德累斯顿护士救济医院的重建工作。2012年，德累斯顿的年轻人参加了在考文垂举办的青年论坛。2005年，考文垂的英国国教主教克里斯托弗·卡克斯沃思递给德国萨克森州福音路德教会的主教约亨·波尔一个十字架，这个十字架由大教堂废墟里找到的钉子制成，具有深刻的象征意义，十字架是全世界公认的和解标志。

实践行动

没有一场战争是永无休止的。战争好似雪崩，咆哮着冲入山谷，留下大片破坏的印记。尽管它恐怖如斯，但迟早会坍塌殆尽，恢复幽灵般的寂静。那些灾难的幸存者面对灾难时不知所措，无法理解，更难以言表。战争的痛苦能用语言描述的十不足一，即使幸存者和见证者的内心恢复了平静，他们仍无法站在更高的角度反思和理解发生了什么。他们的心神皆被事件本身牵动，如同站在火山口边缘的参观者。他们感到哀痛，并寻求表达哀悼的方式，所以建立了各种纪念碑、纪念馆，以此缅怀逝者。他们在博物馆里记录战争的一幕幕，以其局限的国家观评价战争。战争刚刚结束，参战各方都还没有摆脱战争的阴影。此时，缺少理解、对话与和解行为的空间，即进入上述第二阶段的时机还未成熟，还不可能从国际视角来看待刚过去的战争。想要从一个清醒的、形而上学的超然层面来看待战争，还是未来很遥远的事，因为这要基于经济和道德平衡发展的前提。

从国内到国际，再到跨国，这三个阶段处理战争问题时，多少会有重合。然而，这并不意味着在跨国阶段解决战争问题时国内或国际阶段的努力就失去了意义。每个阶段都有其存在价值，只要它不排斥其他阶段。一座城市中心的纪念碑、国际友好城市的关系或倡导全球和平的反战艺术品，它们都有自身的价值和存在理由。下面，我们将以德累斯顿为例加以印证。

国内的纪念活动

回忆德累斯顿对战争废墟的清理和 1952 年建立废墟妇女纪念碑时,人们是把这场战争作为一种深刻影响自己城市的经历来纪念。这发生在自怜自伤、抱怨、控诉的背景下,人们很少关注到因果关系的复杂性。一方面,纳粹德国在其他国家,如华沙、斯大林格勒等造成了更恶劣的破坏;另一方面,发动战争者得承担后果,对德累斯顿负责,并对那些具有重要军事意义的城市和乡村负责。在第一阶段,城市被毁,德累斯顿自视为区域轰炸的受害者。虽然德国曾犯下不容否认的战争罪行,必须加以谴责,但也应允许德国人民表达哀伤和痛苦。因此,战争纪念碑也是和解的象征。

追悼礼拜

面对圣十字教堂[图3-24]在轰炸中严重被毁的经历,教堂唱诗班领唱保罗·毛斯贝尔格逃到他的家乡埃尔茨山脉,在那里,用一首鼓舞人心的哀悼经文歌表达了对当时城市乱象的绝望之情和深切的感伤。1945年3月31日,在德累斯顿轰炸六周后,毛斯贝尔格受到启发,创作了一首触动人心的《如此孤独的城市》,其中部分借鉴了先知耶利米的哀歌。

图 3-24 被毁的圣十字教堂中的合唱团音乐会

先前人烟稠密的城市,

现在何竟独坐!(耶利米 1:1)

她的城门凄凉,(1:4)

圣所的石头

倒在路口上。(4:1)

他从高空使火

焚烧我的骨头,无力反抗。(1:13)

难道人所称为

最美的,

所喜悦的就是这城吗?(2:15)

她不思量
自己的结局；(1：9)
一败涂地，
无人安慰。(1：9)

因而我们心里不安，
我们的眼睛昏花。(5：17)
你为何就这么忘记我们？
为何永远离弃我们？(5：20)

主啊，让我们回到你身边，
我们便得回家；(5：21)
求你恢复我们的日子如旧时般。(5：21)
主啊，求你看我的苦难！(1：9)

后来，毛斯贝尔格回到了德累斯顿，回到了圣十字教堂。1945年8月4日，他的哀悼经文歌在尚未修复的教堂中被首次演唱，合唱团的悲悯之声在黑暗中点燃亮光，给困厄之人带去希望。

废墟妇女纪念碑

二战中,德国男人普遍参军,男性劳动力极为紧缺。因此,大量妇女受雇在轰炸后清除废墟,或在战后投入被毁居民区的废墟清理工作[图3-25]。

这些妇女中,既有受占领者压迫而不得不去的,也有志愿者。许多德国城市为表彰她们的工作建立了纪念碑,德累斯顿就有一座[图3-26]。这些妇女发挥了重要作用,共清理了8万多座住宅废墟。1952年,战争结束7年后,瓦尔特·赖因霍尔德用铸铁建成了这座纪念碑。

图3-25 妇女在清理德累斯顿展览馆的废墟

图3-26 废墟妇女纪念碑

战争纪念碑

在德国，几乎所有的城市和较大的城镇都有战争纪念碑，大多位于墓地入口或中心，十字路口或安静的街角。纪念碑上刻着简短的碑文和阵亡士兵名单，每个名字都背负了一段不同的人生命运。阵亡士兵受到英雄般的赞颂和尊重，战争纪念碑和荣誉墓地一样，是每年举行纪念仪式和哀悼活动的场所，人们在此对死者进行集体缅怀（敬献花环、发表演讲、祈祷）。他们通常只是单纯地作为受害者被纪念，没有与更庞大的政治背景相联系。

在德累斯顿及其周边地区，如今能找到100多座战争纪念碑。有的是纪念一战中的阵亡士兵，有的是纪念历史战争中的英雄，还有许多是纪念二战中死去的士兵和平民等。纪念碑一般用石头、金属和木材等建成，在德国随处可见［图3-27、图3-28］。

图 3-27 洛讷战争纪念碑："献给我们1870—1871年光荣战役中的英勇之子，洛讷镇致谢"

图 3-28 费希塔市战争纪念碑,正面文字:"1914—1918,勇士的战斗和死亡将被铭记。1939—1945"

无疑，战争纪念碑首先反映了人们对自己国家和阵亡士兵或遇难平民的看法，有些纪念碑的碑文只针对死难者及其命运，有的碑文则附带了和解的意义。

德累斯顿有一座特殊的战争纪念碑［图3-29］，建于1945年，是为纪念二战中阵亡的苏联红军，他们牺牲于对抗纳粹德国的战斗中。

当国内纪念活动不可避免地要在外国领土上进行时，国内与国际活动便关联了起来。许多曾遭到德国侵略的欧洲国家，遍布当年德国国防军阵亡者和平民受害者的战争墓地。这些死者阵亡于敌国，早在1919年，德国战争墓地委员会就提出了一项倡议，将海外战争墓地的维护与宣传工作相结合，旨在促进国际和解。目前，这个机构维护着分布在46个国家的832个战争墓地，那里埋葬着约270万德国人。

在德国也能找到类似的战争墓地，其中安息着同盟国士兵、其他国家军队的士兵和外国平民。位于德累斯顿的苏联驻军墓地［图3-30］，是欧洲最大的公墓之一，建于1945年5月。自2019年以来，其管理和维护一直由德累斯顿市负责。它位于森林中，占地面积为2.3公顷。

在德国丁克拉格市郁郁葱葱的自然景观中，人们经常能看到纪念碑［图3-31］，让人想起被击毁的英国皇家空军飞行员。通过纪念碑，悼念活动跨越国界，走向国际。无论谁经过这些纪念碑，都不会将死者的行为与攻击联系起来，而是将其与人类的解放相关联。

对许多德国人来说，从战争中获得救赎已过去了很久。在未来，它可以有一个新的纪念日，即每年的5月8日。大屠杀幸存者、德国奥斯威辛委员会主席艾斯特·贝哈拉诺提出此倡议，并获得许多赞同的声音。

图 3-29　德累斯顿苏联阵亡战士纪念碑

图 3-30　德累斯顿苏联驻军墓地

图 3-31　丁克拉格市的纪念碑

在下萨克森州巴库姆市的一个教堂广场前，竖立着一座令人印象深刻的基督教战争纪念碑。在传统的战争纪念碑前，还有一座较新的纪念碑，寓意以和平的视角反思战争。为了表明其观点，碑石的左边写着"仇恨、贫困、苦难和死亡，这就是战争"[图3-32]，碑石的右边写着"和谐中成长、开花、结果、生活，这就是和平"[图3-33]。在这里，我们确立了人类学中一个非常重要的概念，即要从更广的角度去回顾战争。

逐级记忆[图3-34]显示了记忆的进程：(a)对战争的视角是英雄的、国家的，(b)包含了所有参战者，(c)反思了战争的世界性、跨国性和人类学的原则。第三种记忆是持久与面向未来的。

图 3-32　纪念碑的左侧　　　图 3-33　纪念碑的右侧

国家视角（a）

国际视角（b）

跨国视角（c）

图 3-34 逐级记忆，从面向英雄到面向和平

德累斯顿有条街道，浇铸在路面的金属条［图3-35］上写道："1945年2月13日至14日德累斯顿遭遇空袭后，在此焚烧了6865具尸体。"路过的行人对此会有怎样的反应？是弯腰沉思，还是对庞大的遇难者数字无动于衷？是站在本国立场上谴责轰炸，还是反思德国应承担战争责任，并从中得到警示，要尽一切可能反对任何地方的任何形式的战争，努力实现和平？

图3-35 路面上的金属条

绊脚石

为纪念纳粹政权的受害者,在2009年成立的德累斯顿绊脚石协会的倡议下,德累斯顿至今已铺设了约200块绊脚石[图3-36]。2009年11月4日,首批铺设的数量是5个。目前,整个欧洲有超过7.5万块绊脚石。这是一种特殊黄铜表面的铺路石,单独或成群地铺设在其他铺路石间。每块绊脚石表面镌刻着一个家庭或一个人的名字,他们因为犹太信仰、政治信仰、性取向、疾病、种族或其他原因而被迫害或驱逐,在集中营中被杀害或逃亡。通常,这些绊脚石被铺设在这些人最后居住的街道上。

绊脚石行动是世界上最大的非集中纪念项目之一。1992年,艺术家冈特·德姆尼希在科隆铺设了第一块绊脚石。截至2018年8月,登记在册的绊脚石已有7万多块,安放在1265座德国城镇和24个欧洲国家。每块绊脚石的费用(约120欧元)和对所镌刻人名的考证都由赞助者承担,复原被故意破坏或移走的绊脚石则通过募捐来进行。网上可查询到不断更新的德累斯顿绊脚石赞助者名单,以及显示每块绊脚石位置的地图。

图3-36 德累斯顿的绊脚石

图3-37 德累斯顿旧犹太教堂

重建犹太教堂

战后优先重建的建筑,以住房、交通、社会和教育设施为主。此时,文化(包括宗教)建筑的修复或重建不在这个名录里,如森伯歌剧院、圣母大教堂和犹太教堂。

重建德累斯顿,应包括对大屠杀的反思,正视犹太市民的苦难历史,重建被毁的犹太教堂。

在原址重建犹太教堂是德累斯顿引人注目的建设成就[图3-37、图3-38]。因其独特的建筑风格,这座教堂获得了2001年欧洲建筑的称号。教堂以庞大笨重的纪念碑式造型,打破了德累斯顿的巴洛克风格。它的外表赫然彰显了犹太大屠杀的"庞大"。就像巴洛克式建筑中没有空间容纳纯粹的立方体一样,人类也没有空间容纳迫害犹太人的非人道行为。

图 3-38 德累斯顿新犹太教堂

图 3-39 德累斯顿军事历史博物馆

军事历史博物馆

人们期待有一个专门介绍军事及其历史的博物馆,不加批判地呈现战争历史和举办武器展览。军事历史博物馆一般被视为军事战役和战术、武器技术、军事展览和阅兵、士兵肖像和传记的宝库。人们也许可将这种博物馆视为国家自我反省的重点。目前,全球拥有为数众多的军事历史博物馆,包括政府经营和私人经营的,特别是由退伍军人经营的。

德累斯顿军事历史博物馆〔图3-39〕不为美化战争服务,而是致力于和平与战争的跨学科研究,特别是以人类学和历史学为基础。据博物馆网页介绍,人类以及战争与暴力的原因和后果,是这里的展览主题。这座博

物馆的展品超过 10000 件，是欧洲最重要的历史博物馆之一。明星建筑师丹尼尔·利伯斯金对其进行了改造，新建筑就像一个楔形的尖刀，将老建筑切成两半，尖端指向了德累斯顿轰炸中第一枚标记性炸弹的投掷点，寓意战争的刺痛。这座传统与创新相结合的建筑，在视觉上具有强烈对比感，令人印象深刻，促使人们不断反思。1961 年这里是德国军队博物馆，1972 年起是民主德国的军队博物馆，1990 年被德国联邦国防军接管，2003 年仍具有军事历史博物馆的传统风格特征。从这座博物馆的历史，我们可以拓展研究视角，将本国的定位置于国际背景中，从而发掘军事历史中存在的和平教育的潜能。

德累斯顿论坛

德累斯顿论坛是市民自发建立的，对所有人开放，致力于在民主、和平和人权的框架下回顾德累斯顿的历史，将城市记忆与纪念文化多样化地作为"面向现在和未来的有效资源"。论坛也支持讲座和展览等活动。

在一张特别的德累斯顿数字化记忆地图中，记录了卡尔－威廉·舒伯特的经历。

我的个人记忆场是在从农村通往蓝色奇迹桥的上行路。在"铸剑为犁"的行动中，我的夹克上还戴着那个补丁（注：指犹太星标），这对我的工作没有任何影响。

在下班后骑摩托车回家的路上，我被交警在十字路口拦下，让我把摩托车停在路边。然后，他要我取下补丁。当我拒绝时，他命令我等待，直到一辆巡逻车来把我送到警察局。这期间至少让我有时间简短地告知我的妻子。然后我被送到洛伊本的警察局，值班警察再次要求我摘掉补丁，否则我得在那里过夜。我当然不想发展到这个地步，就让他把补丁取下来。他走向隔壁房间，我趁机从给妻子挑选的花束中取出一朵玫瑰，夹在两张桌子之间。警察起初非常恼火，问我这是怎么回事。我向他解释，这表示我对他个人没有怨恨。他显然接受了这一点，脸色微红。我们就这样很和平地分手了。

舒伯特想要通过其在2014年2月3日的经历表明，为和平和人权作出的努力，纪念那些遭受战争、不公和暴力影响的人，解决暴力与压迫的源头和结构是多么重要。

国际和解

上文所述主要关注了德累斯顿的国内经历阶段,下文我们将关注其战后的国际阶段,并勾勒出其未来发展的方向。

促进和解与和平的童书

通常,评价一个项目成功与否常常基于其影响力和资金量,容易忽视那些不起眼的小贡献,但圣母大教堂的重建最终主要归功于无数的小额捐款。

从这个意义上,我们就要提到由教育家费迪南德·安吉尔发起的一项活动。他以前是德累斯顿工业大学的教授,现在在奥地利的格拉茨大学。他的学生根据课程创作了一本童书,名为《圣母大教堂冒险记》[图3-40]。这本书讲述了女孩卡特琳去拜访德累斯顿的祖母,在一周的时间里接触到圣母大教堂的重建工作,她倍感兴奋。手风琴师保罗向她介绍了圣母大教堂的历史。这本小书所得的款项大部分都捐给了教堂,它赋予了圣母大教堂和解与和平的象征意义,其中也提到了考文垂主教大教堂。显然,这本书恰当地将视角转向了更大的国际背景。

图 3-40 童书《圣母大教堂冒险记》的封面

白玫瑰

2005年2月13日是德累斯顿遭遇轰炸的第60周年。为了保护这个纪念日不被右翼极端分子利用，并表明反对种族主义、战争和暴力的立场，成千上万的市民佩戴了白玫瑰标志［图3-41］。白玫瑰用丝绸制成，是为了纪念第三帝国时期的"白玫瑰"抵抗组织。这一行动不仅获得了众多组织的拥护，还得到了地方媒体的支持。

这次活动由诺拉·朗发起，德累斯顿轰炸发生时，她才13岁。20多年来，这位在全世界备受尊敬的和平活动家一直反对遗忘历史。她向年轻人讲述自己的经历，并启发他们展开对战争问题本身的思考。轰炸发生后，她发现家中余下的两个瓷盘，一个画着红玫瑰，另一个画着白玫瑰。与红玫瑰瓷盘不同，白玫瑰瓷盘完全没有被火烧过的痕迹。2001年，作为德累斯顿轰炸的幸存者，她将其中一个瓷盘送给了格尔尼卡轰炸的幸存者，那里曾在1937年被德军摧毁。早在1995年，她已倡议1945年德累斯顿的时代见证者们进行第一次公开会面。作为"1945年2月13日"利益共同体协会的联合创始人，她主要以轰炸幸存者的身份发声。朗表示，她不是在抱怨她的家园和美好童年被夺走，而是在经历了这些痛苦后，深感要为和平、宽容和整个人类采取行动，因为世界上还有许多人曾遭受或正在遭受战争、暴力和恐怖带来的痛苦。

图3-41　丝绸制成的白玫瑰标志

作为"和平英雄"项目的一部分,她的协会组织了来自马德里、布达佩斯、萨拉热窝和德累斯顿的学生会面。这些年轻人在为期两天的研讨会上了解这座城市的历史,并提出问题:和平到底是什么?谁是英雄?我们曾在哪里展示过勇气?在 2018 年 2 月 13 日的轰炸周年纪念日舞台上,他们向广大观众展示了他们的讨论结果。

跨国的视角

第三阶段在时间上很难精确把握,且与前两个阶段重合,城市及其相关人员会对战争事件进行全面反思,即在纳粹侵略政策、希特勒发动战争和承担战争恶果的背景下,从和平视角出发,认识到自己是面向国际的,并基于德累斯顿的特殊经历,关注对和平的基本理解与跨国的和平文化。

德累斯顿成为和平建构行动的起因和范例,这些行动反对战争及备战行为。德累斯顿发出了无数倡议,这些倡议不仅对轰炸造成的痛苦进行回顾,也对德国战争罪行进行认定,并进而将忏悔和认罪转化为跨国的和平行动。下文我们将通过几个代表性例子来介绍这些行动。

全景画:德累斯顿的辉煌与地狱

全景画艺术家亚德加尔·阿西西,1955 年生于维也纳,在萨克森长大,曾在德累斯顿学习艺术,现居柏林。2015 年,阿西西根据照片、文献及历史学家委员会提供的受害者人数,创作了一幅壮观的 360 度全景作品《德累斯顿 1945 ——一座欧洲城市的悲剧与希望》,结合震撼的灯光模拟和埃里克·巴巴克的配乐,在德累斯顿视频全景馆[图3-42]展出。该全景画卷宽 100 米,高 30 米,再现了 1945 年 2 月被盟军大规模空袭后的德累斯顿。参观者可在 15 米高的观台上,从 27 米高的显示屏中身临其境地感受德累斯顿的历史时刻。

图 3-42　德累斯顿视频全景馆

这幅全景画引起了轰动,它以恢宏的场景打开了观众的视野[图3-43]。空间上,它从德累斯顿扩展到欧洲,与鹿特丹、考文垂、华沙遭受的破坏进行比较;时间上,它从过去指向未来,从感受战争悲剧指向超越战争的希望。

为了佐证他前瞻性的视角和对未来的乐观主义，阿西西回顾了德累斯顿的繁盛时期，创作了一幅名为《巴洛克时期的德累斯顿——萨克森国都的神话》的全景画［图3-44］，展现了1695—1760年的德累斯顿，画面遍布着宏伟的巴洛克式建筑，城市生活美丽安宁、无忧无虑，与令人痛心的战争景象形成鲜明对比。这幅全景画也在德累斯顿视频全景馆展出，2015年以来与战争全景画定期交替展出。画面上两只鹦鹉在轰炸中逃离德累斯顿动物园，取代轰炸机飞翔在天空，让人们从战争的黑暗中走出来，走向全景画寓意的希望。这不禁令人联想起诺亚方舟里的鸽子，或毕加索《格尔尼卡》中鲜有人注意的植物。当人类的一切被毁灭时，是大自然为我们架起了通向未来的桥梁。

图 3-43 体验巴洛克式的德累斯顿

图 3-44 望向被毁的德累斯顿

所有人的德累斯顿

战前,与德国大多数城市相比,德累斯顿为纳粹主义提供了更多的发展空间,这是它的旧债。时至今日,德累斯顿的民众都还在努力偿还。然而,似乎历史还不够沉重,在某种程度上正在重演:日益强大的右翼势力以及极端右翼分子令人厌恶的联合与行动不断出现。德累斯顿明显的右翼政治偏见令广大市民尤其是城市决策者深感苦恼。即便右翼运动目前在可控范围内,但其造成的外在影响却是巨大的。

右翼分子故意提高音量,虚张声势,每每跳出来扭曲事实。事实上,德累斯顿不是一座右翼城市,甚至连右倾城市都算不上。为了证明这一点,许多市民站出来,发起倡议和组建协会,以一个致力于民主精神的德累斯顿来对抗右翼暴徒及其对这座城市的诽谤。在这种对抗中,对待历史的方式起到了核心作用。少数人奉行民粹主义思想和修正主义世界观,不仅试图淡化战争罪责,而且试图淡化纳粹德国的其他不人道行径。大部分人则正视德累斯顿的历史罪责,接受其与二战结束时遭遇的轰炸之间的因果关系。对战争的反思不能脱离纳粹政权的历史背景,在德累斯顿市民与右翼团体的对抗中,二者的联系再次显现,这几乎体现在所有的文化活动中,这里只能择其要者概述。

图3-45中的标志极富表现力,我们从中可以获得很多信息。"所有人的德累斯顿",是一个由100多个德累斯顿倡议者、组织、协会和机构组成的联合体,主张建立一个所有人都能参与其中的民主的城市社会,以人权和《基本法》为基础,与各种形式的歧视做斗争。

图3-45 "所有人的德累斯顿"图标

目前，该联合体已支持了一系列项目，包括：

· 针对成年人和年轻人的政治与艺术教育项目

· 将国家剧院小房子里的"周一咖啡馆"，设为向德累斯顿市民与难民开放式的聚会场所

· 由难民德语课协会组织的国际足球比赛

· 为寻求避难者、移民和有权获得庇护者提供课程，促进跨文化交流

· 克里斯托弗大街游行日的难民敞篷车，反映难民想要改变故乡困境的意愿

· 德累斯顿的库尔德电影节

· 一个关于叙利亚局势的政治论坛

该联合体还开展了其他的一系列丰富多彩的倡议活动，推进和解与和平、抵制仇恨与暴力、主张用非暴力解决冲突，都值得加以关注。

德累斯顿·尊重

在承认《基本法》中规定的每个人的尊严不可侵犯的前提下，基于纳粹分子的恐怖行为使数百万人丧生的历史背景和1989年抗议运动促使两德统一的积极经验，2016年，来自政治、文化、宗教、科学、经济领域的市民代表集聚一堂，在"什么将我们联合"的口号下组成联盟。通过开展一系列讨论、讲座、研讨会、聚会以及街头节日、音乐会、艺术活动，促进人道主义行为、相互尊重和相互理解。在推动统一的市民和平抗议活动的背景下，"德累斯顿·尊重"联盟反对在德累斯顿出现的排外和推崇暴力的氛围，有意识地反对"纵火者、暴力者、民粹主义者"，反对他们"没有文化的游行示威"，以及放肆的嚎叫和喧嚣。为此，该联盟倡导竞争性的话语，排除不宽容的因素，以人道和同情为特点，团结需要帮助的人，从而实

现《基本法》对民主的要求。联盟组织的活动具有向世界开放，促进宗教间的对话、文化间的理解，重视政治与社会参与的特点。

他们反对种族主义、反对仇视人类、反对同性恋恐惧症，在克里斯托弗大街纪念日邀请人们参加街头活动，参加公共宴会和足球比赛。他们组织了反对种族主义的国际周，邀请人们参加茨温格宫的基督降临节演唱（仅第一次就有1700名客人接受了邀请），以及为获得更多的尊重而组织跳舞等。在网络上，该联盟的支持者被逐一列出。他们团结在一起，不是为了反复强调他们之间的分歧，而是要共同反对思想和言论的禁令、社会分裂的企图、不宽容和不尊重，共同支持自由民主的讨论。

BIRD协会

多年来，德国各地建立了各种文化协会，特别是旨在促进融合的音乐协会。音乐协会还特别邀请难民和移民加入，既不以政治也不以宗教为导向，注重团结而不是内部分裂，与体育协会一样具有特殊的融合魅力，从所有其他协会中脱颖而出。

德累斯顿也有这种协会，如BIRD协会。在该协会，文化爱好者和创作者有意识地在德累斯顿特殊的战争历史背景下联合在一起。最近，该协会除了真正实现个人对音乐的兴趣外，还致力于反对民粹主义的右翼潮流，许多人在政治上投入了富有成效的努力。

该协会的纲领清楚明晰：所有的人首先是人，然后才是不同宗教、世界观和民族的成员。协会倡议建立一个所有不同宗教和世界观的人都能平等对待彼此的社会。关于具体目标，该协会在其

图3-46 从左到右:海尔讷·丁格林格(萨克森越南佛教文化中心),塞巴斯蒂安·勒米施(德累斯顿萨克森国家小乐队),巴尔吉特·布尔哈尔(德累斯顿锡克教教会主席),约翰娜·施托尔(德累斯顿犹太教教会),优素福·申京(德累斯顿伊斯兰清真寺联盟组织),阿玛尔·米茨谢林(皮尔纳托姆·保罗斯剧院),阿德里安·岑德赫(德累斯顿巴哈教组织),罗兰·费特思(萨克森埃尔布兰交响乐团),马丁·吉洛教授(萨克森自由州前经济部长和外国人事务专员)

网站上指出:"我们支持各种展示、加强宗教和世界观和平共处的文化与教育活动。我们组织了追求这些目标的节日、会议和活动。我们将自己视为德国音乐与文化倡议的推动者、传播者和支持者,并愿意长期致力于认知和利用音乐与文化的力量,为德国日益增长的社会多样性的团结一致作出贡献。"

图3-46是该协会一小部分活跃成员的合影,从他们的名字和身份就可表现出联合的多样性,同时鲜明地传达了其目标和理念。

这些成员是自愿参加协会工作的,他们来自不同的宗教,有基督教、犹太教、伊斯兰教、佛教、印度教、锡克教和巴哈教等。一定程度上,他们把自己定位于泛神论和世俗人文主义。他们的活动旨在有意识地表明,人们应该团结而不是分裂。他们倡议并邀请大家一起体验,超越宗教差异,和平共处。这不仅是可能的,而且是正在实现的。参加由协会组织的各种文化活动的艺术家,希望通过他们的具体互动来表明,超越宗教、世界观、文化或民族的边界,和谐共处是可能和必要的。在2015年的一场节日音乐会中,人们诵读了6种宗教圣典的语录,呼吁世界和平,并敦促其信徒为实现和平而努力。

根据这一目标,该协会还组织了"跨宗教与跨文化的和平音乐会""跨宗教的文化联欢",与邻近的皮尔纳城"文化市场"一起发挥作用,开展"反对种族主义国际周"和"世界宗教—世界和平—全球伦理"展览等活动。

第三届跨宗教和平音乐会在德累斯顿圣十字教堂举行,以"以人为本——在音乐中团结"为主题,有150多位国际艺术家参加。这些著名的艺术家包括:在科威特出生的指挥家,父母来自德国和埃及的艺术家,来自柏林的越南裔德籍音乐家,土耳其的男高音,以及中东和平乐队。这是一个由专业音乐家组成的协会,每个人都与中东地区众多彼此为敌的国家有着各自的联系,通过音乐的力量在看似不可调和的矛盾间搭建和解的桥梁。

德累斯顿环境中心协会

邀请人们为和平与国际理解而努力,并非墓地的本职工作,但这正是德累斯顿的马特乌斯墓地[图3-47]所做的。在这里,德累斯顿环境中心协会不仅得到了拥有丰富自然资源的分部的支持,而且也为自身工作提供了一个明显的和易于理解的出发点。这里埋葬着207名苏联人,他们或死于德累斯顿军工厂的残酷工作环境,或在轰炸中丧生,或在战争中被作为苏联军人杀害。墓碑上,这些逝者的名字及其在1941—1945年期间的死亡年份用俄文镌刻,得以永存。每一个名字,不仅在谴责,也在提醒着世人要尽量避免战争的悲剧在德累斯顿乃至全世界重演。

多年来，该协会一直与捷克、波兰、乌克兰和中国进行项目合作，致力于和平工作，实践其成立目标。2015年，该协会开始致力于难民工作。协会负责人之一斯特凡·默滕斯科特通过墓地看到了两次世界大战的逝者与"今天的我们"之间的联系，并受其影响开始在德累斯顿开展和平工作。这一观点再次印证了德累斯顿从关注自身被破坏的城市，发展到接受国际、集体的和平责任的过程。

图3-47　苏联战争受害者的墓碑

照片中的战争与和平

之前，德累斯顿专注于舔舐自己的伤口。今天，德累斯顿已从全球视角出发关注并反思战争。在德累斯顿三个地点举办的"战争与和平"摄影展以镜头记录下了德累斯顿遭遇的二月轰炸及其沉痛后果，扩大了人们对战争的认知。这个摄影展，既抓拍了战时某些瞬间，又记录了战争遗痕，不仅反映了战争的直接影响，而且明晰了其深远影响，具有特别的意义。摄影展概括了德累斯顿在某些方面的经历，可能会给人以安慰，但也可能令人感到绝望，因为它让战争看起来是一种近乎自然存在的现象。当然，展览的目的恰恰相反：我们必须不断反对它所展示的画面，反对战争造成的无意义死亡，强调几十年后仍难愈合的创伤。该展览希望从战争社会的角度来审视战争现象，让人产生心灵的震撼，意识到战争不仅给直接参与者，也给后人带来了不可磨灭的创伤。

图 3-48　支持阿勒颇的和平游行

支持阿勒颇的和平游行

长期以来，德累斯顿人专注于思考二月轰炸及其后果，并在全球战争背景下进行归类和思考，跨越国界审视自己的不幸，这对认识当下的战争也是有益的。从此意义看，约100名来自欧洲各地的人参与的从柏林到阿勒颇3000多公里的和平游行［图3-48］会在德累斯顿停留就理所当然了。游行的口号是"为了叙利亚的和平——德累斯顿和平示威"，表达了对叙利亚平民的声援，以期在这个饱受战争蹂躏的国家和平地解决冲突问题。游行于2016年12月26日从柏林开始，在德累斯顿停留后，将依次经过捷克共和国、奥地利、斯洛文尼亚、巴尔干半岛和土耳其。

德累斯顿与阿勒颇的相遇

艺术家很欢迎对他们作品的非议，因为他们想要以此引发支持者的反思，如果他们支持的某种现状不符合既定的可能性，那么就必须被打破。

在这种艺术理念的视野下,我们关注到马纳夫·哈勃尼这个生活在德国的叙利亚人的作品。他在德累斯顿的新市场,放置了三辆报废的公交车,并将它们高高竖起[图3-49]。这个作品的背景是在遭受战争重创的叙利亚阿勒颇城,民众用三辆公交车来抵御狙击手的射击。哈勃尼的创作将阿勒颇带到了德累斯顿,两座城市因此建立了联系。此举受到德累斯顿右翼势力的批评,指出其干扰了对德累斯顿"毁灭日"的纪念(每年11月13日举行)。德累斯顿市市长对在圣母大教堂不远处竖立公交车的行为表示非常欢迎,因此受到谋杀威胁。2015年2月至4月,该作品在德累斯顿展出。2017年11月,该作品在柏林勃兰登堡门前展出,受到该州首府的政府文化专员的欢迎,被视为重建与和解的纪念碑。

德累斯顿爱乐乐团

消除战争是和平研究的核心目标。只有对预防与消除战争的可能深信不疑,才能有助于实现这一目标。和平主义的目标和任务,可能会遭到将战争与和平视为人类历史发展的高潮与低谷的观点所反对。从这一观点可推断,战争与和平自然而然地交替,不可避免。但是从批判的角度看,认为战争与和平在历史上持续共存的设想不仅在道德上是一种危险的失败主义,也是战争滋生的土壤;另一方面,对战争与和平交替起伏的表述,并非为了营造局势紧张的气氛,它提供了一种批判性的观点,用两极来命名和描述极端情况,让人们清楚每场战争都会结束,随后就会出现和平。这至少让人略感欣慰,这种理论并非一无是处。但是,不管战争与和平如何交替起伏,寻求和平的人们用实践证明,他们不会屈服于战争与和平问题的复杂性。

图 3-49　圣母大教堂前的公交车行动

德累斯顿爱乐乐团的活动就是如此，而且更加深入。2018年11月10日，诺贝特·舒斯特在购票网站上就"战争与和平之间，1618—1918—2018"指出，"战争与和平之间"讲述了个体失去希望和任人宰割的情况，讲述了战争的必然性。对此人们除了哀叹，几乎没有其他方法。战争的失败者数量巨大，胜利者数量却很小。然后，一切又重新开始，伴随着新的谎言和虚假的承诺。打破这种恶性循环是一种幻想，但同时也是所有人的任务，不论他们秉持何种信仰或世界观。虽然该活动将战争与和平形容为恶性循环，认为打破这种恶性循环是一种奢望，但它还是鼓励人们努力去实现幻想。

为和平手拉手

2017年2月13日，德累斯顿轰炸72周年纪念日，1.2万名市民在易北河两岸手拉手，组成一条人链[图3-50]。他们一方面纪念轰炸给城市带来的破坏，另一方面也展示了德累斯顿的纳粹化历史。参与者包括许多有孩子的家庭和萨克森州政府成员，希望通过这一行动提醒人们，在目前的冲突地区，战争正在给当地人带来痛苦。

活动开幕式上，德累斯顿市市长迪克·希尔贝特将德累斯顿轰炸与当下的战争冲突联系起来。他指出，在全球化的今天，无数冲突以战争的形式出现，践踏着人类的尊严。活动前，他去市中心老市场的纪念碑前献上了一朵白玫瑰，纪念轰炸后约7000名战争遇难者的尸体在此被焚烧。同一天的另一个活动中，人们纪念1938—1945年德累斯顿的犹太市民被驱逐事件；在托尔克维茨安放骨灰的墓地，纪念纳粹党独裁时期在德累斯顿杀害残疾人和精神病患者的事件。市长指出，没有第二座德国城市像德累斯顿那样，纳粹党能召集大多数支持者，因此，在同盟国反攻前夜，德累斯顿并不是无辜的。这与右翼极端分子、新纳粹和反西方伊斯兰化的爱

图 3-50　为和平手拉手

国欧洲人的行动形成鲜明对比，他们试图从城市被轰炸的角度出发，淡化纳粹党犯下的大屠杀罪行。这些右翼势力通过毫无根据的数字游戏，利用纪念日，试图将纳粹党的残暴行径掩藏于盟军反击的阴影之下。

圣母大教堂"和平学院"

重建后，圣母大教堂不再只作为礼拜场所。这座独特的圆顶建筑每年都举行 100 多场音乐会和宗教音乐活动。许多新人也在此举行婚礼。圣母大教堂是和平与和解之地，这一讯息被参观者接受并传播。

圣母大教堂所展示的和解故事与和平工作计划很多,其中包括:指明和平工作的方式;邀请诺贝尔和平奖得主做讲座;每两年在圣灵降临节举办一次和平活动[图3-51],通常有来自20多个国家的400名年轻人参加;推动考文垂发动的"十字钉"活动;举行"paxAN"的学生和平竞赛。

图3-51 圣母大教堂的和平活动

为和平守夜

每周一晚7点,人们在德累斯顿的约尔格-戈蒙代广场聚会,就彼此关心的和平问题交换意见。德累斯顿和平守夜活动是一个平台,人们在此尽可能跳出意识形态的束缚,在相互尊重的前提下客观地进行交流,在明确的非暴力沟通框架内共同寻找建构世界和平的道路。参与者根据相应的规则报名演讲和进行反驳。蔑视人性或美化暴力的演讲都被严格排除在外,平台不给种族主义、法西斯主义或性别歧视者提供发言机会。

尽管人们的观点各有差别,守夜活动还是在内容上达成了一致。其中包括要求德国停止参与任何战争、全面禁止武器出口和联邦国防军在国外参战,排除在德国领土上进行的无人机战争以及在德国储存核武器。就内容而言,守夜活动的定位是反对剥削、游说、腐败和敌视人类的资本主义。

图 3-52　庆祝德累斯顿和平守夜活动举行四周年，2018 年

平台最近的话题还有：批评将移民视为一种剥削现象，批评造成严重后果的社会放松管理问题，批评联邦德国加入北约（NATO）。与布痕瓦尔德集中营最后一位见证人的会面，是对"永远不要再发生战争"的再次提醒和承诺。此外，平台的核心事务之一就是指出资本主义和军国主义之间的关联，据此反对扩充军备的诉讼。每年的反战日，即 9 月 1 日世界和平日，平台会与德累斯顿其他和平倡议组织联合举办一个特别活动。除公开讨论外，和平守夜还有游行示威、音乐会等活动［图3-52］。

图 3-53 班贝格的施陶芬贝格经济学院学生在圣母大教堂前

在德累斯顿学习

2017年2月13日,德累斯顿轰炸周年纪念日,班贝格的施陶芬贝格经济学院的学生在宗教老师的带领下踏上了"档案之旅",到德累斯顿调研和平与战争以及罪责、宽恕问题。当时的局势较为紧张,一方面,有些人不仅将轰炸解释为大规模屠杀和战争罪行,还试图以此来减少纳粹德国的战争罪孽;另一方面,有些人认为对德累斯顿的反攻是德国战争罪责导致的后果,并请求过去的敌人宽恕。在圣母大教堂前[图3-53],他们不仅看到了哈勃尼创作的公交车纪念碑,还遇到了另一个反战"纪念碑"——置身于几百支蜡烛组成的光海中,重新发现自己。在祈祷中,他们有机会思考和解与和平的意义。在教会教育之旅的背景下,学生们能以不同的方式探索圣母大教堂及其象征性的世界，如在教堂地下室探讨幸存者的回忆。圣母大教堂开展的和平工作向学生们展示了教堂参与社会事业的良好范例。

移动的天使

当代艺术领域有一个例子，强调了德累斯顿正着眼于未来，努力以艺术表达的方式在全球意义上看待历史。2020年2月5日至16日，艺术家塑造了17个天使的形象，它们和真人一般大小，由白色水泥制成。这些艺术品是跨文化或跨宗教的代表，被装在滚轮上游移在德累斯顿的市区，表达了欢乐、悲伤和希望等需求。这些雕塑由艺术家玛丽特·本特·诺海姆创作，配有挪威作曲家吉尔·约翰逊的声响装置。作为害羞的、怀孕的、受伤的守护神，他们置身于人群之中，并在寻求和平的过程中与市民接近[图3-54]。

图 3-54 从左至右：德累斯顿市市长迪尔克·希尔贝特，丹麦雕塑家玛丽特·本特·诺海姆，挪威作曲家吉尔·约翰逊和德累斯顿市立博物馆馆长吉斯贝尔特·波尔斯特曼博士

结　语

多架轰炸机组成的飞行舰队，装载着无数爆破弹和燃烧弹，呼啸着投向一座城市。这一令人压抑的史实说明，人类有能力和意图实施过度暴力。在集体军事暴力的背景下，个人对暴力行为的态度基本建立在压力之下，以国内或国家间的紧张局势为基础，根植于相应的宣传和意识形态，往往处于或长或短的具有一定规模的社会化和教化过程中。

从迪特·聚斯的政治学、社会史和文化史视角看，德国和英国之间轰炸战的破坏程度主要建立在当时空前的人口军事化基础上，与技术现代化和国家纪律化紧密结合。拉尔夫·布兰科对聚斯的主要研究成果进行总结，认为"战争士气"被两国视为"社会黏合剂"。大规模杀伤性武器在道德、宗教和政治上实现了合法化，教会和"正义战争"的模式在检验道德界限方面发挥了重要作用。聚斯因此摆脱了考证伤亡和破坏的狭隘军事历史观，超越了对战争及其后果的详细描述和空投吨数的清单等。在聚斯看来，空战是"20世纪现代社会的一种特殊暴力形式"。

1914年一战爆发，战争并未像发动者预想的那么快结束。当圣诞节来临时，士兵们仍然无法回家，最初的承诺和期望破灭。在比利时佛兰德斯前线的战壕里，这边是德国士兵，那边是英国士兵，往往相距不超过

50米。令人难以想象的是,双方士兵突然感伤起来,穿越前线,一起唱起了圣诞颂歌。至少在这几个小时内,他们体会到:作为两个敌对国家的普通士兵,他们生活在共同的世界。一种奇怪又明显的归属感在他们心中升起,使他们暂时走到了一起。至少在这一刻,他们活得很真实:都是有相同基本需求和渴望的人,都有着相同的恐惧和希望。当英国士兵拿出一个足球并高高抛起时,德国士兵也不再犹豫了。这场跨越战线的足球赛,在战壕间冻得坚硬的地面上进行,据说德国人赢得了比赛。第二天,这些士兵又被迫兵戎相见,互相厮杀。这个圣诞节之后,以及随后的几个圣诞节,这种兄弟般的情谊被军队指挥官们严厉禁止。一年中,只有在这唯一的一天甚至是只在那一刻,人才真正成为自己。

和平动力的后期胜利

2005年2月13日,德累斯顿轰炸60周年纪念日,德里克·杰克逊和黑尔加·西维斯在德累斯顿相识。当时,杰克逊只有19岁,是参与轰炸的英国空军中的一员,而西维斯则是轰炸幸存者中的一员。轰炸发生60年后,他们的会面使和解成为焦点,以一种他们自己和其他人在之前的岁月中不被允许的方式,颠覆了广为流传的人类天生具有暴力倾向的人类学假设。在意识形态、蛊惑、宣传、灌输和社会化背景下,人性恶的爆发与释放表现得最淋漓尽致的莫过于战争。真正的人性是一种相互的和解,虽然它看起来并不起眼。我们在和平中共生,这是努力的方向,通过它来衡量一切。我们的标准不是战争,而是和平。特别是德累斯顿,让我们在"辉煌、灾难和出发"的观点下记住这个事实,我们对和平的渴望不可抗拒、超越时空,隐藏在其背后的和平动力绝不会被扼杀。

客观性基础上的和解过程

虽然二战中许多其他城市遭遇了更严重的破坏,但德累斯顿局部被毁的事实和破坏的方式、强度及广度,从一开始就在各方面表现得十分极端,并塑造了大多数人的集体记忆。媒体、文学和电影在很大程度上夸大了轰炸,特别是夸大了受害者人数。从意识形态看,左翼和右翼政治阵营的历史修正主义的夸大不仅持续至今,而且多年来甚至不断升级,误导与扭曲了客观事实。

值得注意的是,德累斯顿终于开始以自我批判的方式审视几十年来已固化并难以超越的毁灭概念,审视个人讲述的模糊性和可信度,并拒绝歪曲事实的调查结果,以维护多达2.5万名轰炸受害者的可怕真相,主动调整德英之间的话语体系。1946年考文垂提出和解后,这种明确的态度随后释放了和解的符号,通过对德累斯顿轰炸差别化的考察,战后德国的和解工作也在向前推进。夸张和歪曲只会适得其反,只有尽可能客观地描述轰炸后果,才能给那些发起轰炸的人(尤其是英国人)参与和解进程的空间。在一个被夸大的争议性框架下,对方参与的可能性就会较小,因为没有人会为不真实的暴行承担相应责任。

和平教育与历史记忆

在医学领域,人们习惯于系统地记录个别治疗措施及其各自结果,并在尽可能全面的比较研究中对其进行评估,以促进治疗方法的发展和提高治疗成功率。历史科学也在以类似的方式进行,为其他社会科学作出了不可或缺的实质性贡献。它通过借鉴其他学科的工作来记忆和反思所记忆的东西。记忆、比较和解释的过程不仅仅是为了优化我们对世界的了解和塑造。

这些努力中，我们有必要看到认识和培养历史记忆的重要性。历史记忆指的是一种复杂的努力，目的是尽可能不带偏见地看待历史，并在有科学依据的方法基础上了解塑造世界的规律。克里斯托弗·科内里森认为，除了特定的历史事件，人物和政治的重要进程也发挥了作用。因此，个人、社会团体和国家集体的记忆，其重要性不亚于以科学为基础的历史证据。这些记忆可记录在文本、图片、照片中，记录在纪念碑和建筑中，还可以记录在节日和风俗、准则、象征和神话中。科内里森认为，从当前的视角感知历史语境，能理解与应用过去，形成基于历史的身份认同。

一切都在流逝，动态的记忆文化尤为如此，记忆及其评价总是一再被质疑、修正和更新。记忆过程保存了历史，但同时理想地对未来开放，具有创造性和进步性。

在一个面向未来的社会里，记忆文化不仅得到了政治层面的支持，也得到了教育尤其是学校层面的支持。在这个意义上，德累斯顿对轰炸的示范性、批判性处理，不仅在整个德国而且在国际上都是对记忆文化值得重视的贡献。德累斯顿宣称，目标是尽可能利用一切可利用的和平手段，在一般意义上排除对和平的破坏。

从历史上看，德累斯顿不"只"是军事冲突行动可怕的、影响广泛的例子，而且是历史上众多案例中的一个。部分直接受影响的人和其他人可能认为它独一无二，但事实并非如此。

然而，即使从一般视角看，以德累斯顿为例也是有意义的，如同其他案例，通过有针对性的聚焦赋予它特殊的意义。德累斯顿只是众多案例之一，作为一种社会人类学现象的表达，也必须被理解、评价和认真对待。1945年2月对德累斯顿的轰炸是战争的产物，随着时间的推移和人们对毁灭性轰炸结果的接受，因创伤而产生的对德累斯顿特殊性的感性认识转变为普遍性的真实认识，如战争的原因、条件和结果等。人们希望从德累斯顿轰炸中吸取教训，不仅质疑其特殊的形势和局面，而且质疑战争的普遍意义，这对其未来的和平发展起到重要作用。

如果你想要和平

在德累斯顿，只要看一看1760年七年战争期间被毁的圣十字教堂的战争废墟，以及旁边1945年被二月轰炸毁坏的圣母大教堂的战争废墟，单是这座城市的战争年表就是一堂很好的和平教育课。这些画面是多么相似，幸存者们一再站起来，重建被毁的世界。通过战争实现和平，破坏后重建的恶性循环，在今天看来仍然是荒谬的，也是不合逻辑的。因此，一般的战争史和德累斯顿的特殊战争史，都让古罗马原则"si vis pacem, para bellum"（如果你想要和平，那就准备战争）显得更加荒谬。和平只能在和平的道路上实现，借鉴一句拉丁文格言，那就是"如果你想要和平，那就准备和平"[图4-1、图4-2]。

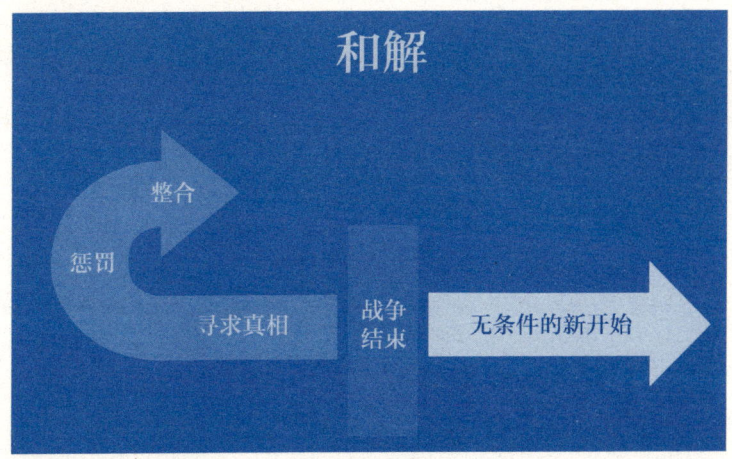

图 4-1 和解的两种极端模式:一种是在谴责和惩罚后,对战争和融合进行复杂的重新评价;另一种是在以纯粹宽恕为特征的关系中,通过一个新的开始来减少复杂性

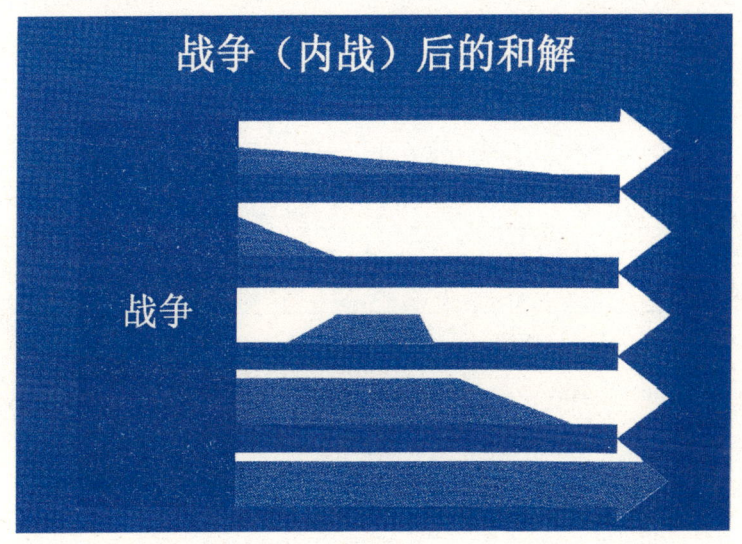

图 4-2 战争后的和解进程:图中对不同的进程建模,每个箭头中的深色区域表示怨恨、指责和保留,浅色区域表示和解、交流和建立友好关系的进展

对待战争

和平教育作为一种跨学科的和平学的实践,反对麻木维持早已并且一再被驳斥的准则,反对不断重现从战争到战争的恶性循环,依赖于不被忘却的永久存在。与南京、考文垂、华沙、广岛及其他城市一样,德累斯顿是个警示信号,即违背理性目标的暴力之路,会走向暴力的死胡同。在回顾历史的基础上,对事件进行法律上的重新评估,以及相应的司法管理(如国际法庭),可以对个人和集体的创伤产生疗效。对于许多人来说,这是对待战争不可或缺的工具。

一些人从问题中逃离,选择忘却,他们可能并未意识到,这也是对现有创伤的反应,而这种行为无助于最终克服它。无论如何,他们都有权拒绝,有权忘却。战后的几代人往往只愿意往前看,不太理解尝试回顾和哀悼过去的行为,并在此基础上,对所有方发出指控。他们用这种方式降低了战争的复杂性,对利用有限的能量为饱受战争蹂躏的社会重新确定方向具有针对性的贡献。

在网上我们能找到一些和[图4-3]类似的照片。在柏林"欧洲被害犹太人纪念碑"的露天广场上,一位年轻人正从一块碑跳到另一块上,他可能觉得这样很好玩。但是,这种行为是被禁止的,因为这很危险。发布这张照片原来的动机可能是要表达对这种不虔诚的行为的指责。然而,年轻人的行为也可以被善意地理解。从人类学的复杂性来看,照片场景可以有另一种解读:年轻一代轻快地跳跃,跨过这剥夺几百万犹太人生命的令人发指的罪行,并将其抛在背后。但对他们来说,这并不意味这不是一个可怕的事实。

一位记者曾采访了三位年轻的大学生，他们分别来自克罗地亚、塞尔维亚和波斯尼亚。记者问他们对南斯拉夫战争的评价，却只得到了不了解的回答。几十年前，他们的父母参加战争，对战争持有不同的看法。他们却宁愿放弃自己的观点，更想成为有雄心壮志、以优异成绩毕业、能找到一份满意工作的大学生。在接受采访时，这三人都在萨拉热窝的同一所大学学习，用没有经历过战争的目光憧憬着未来。他们对历史的部分遗忘符合充满希望的全球化进程，年轻人高高跃起，大步跨过历史，首先就要跨越人与人之间完全失败的历史，如大屠杀，没有什么能阻挡他们的脚步。他们有权对此作出这样的反应，"大胆地去做"，让未来无忧无虑并受到鼓舞。这并不排除他们在中小学教育、大学学习或职业培训中接受历史知识的教育。在某些情况下，以情感超然的形式忘却历史是最好的解决办法。

图 4-3　柏林"欧洲被害犹太人纪念碑"

战争的宣传和漫长的阴影

我上学时，在 13 年的中小学生涯中，即从 1958 年到 1971 年，没有学习过关于德意志帝国（包括一战）、魏玛共和国、纳粹和二战的基本评介。这可能是巧合，但学校的课程应该提供对这些历史阶段的评介。回顾过去，推测原因在于：年长的教师仍然饱受这些事件的伤害，他们无法或不想解决这些问题。然而，年轻的教师既没有通过学习，也没有做好充分准备来应对课堂上的敏感话题。

从比较历史的角度看，我认为这反映了社会在某种程度上抗拒面对新近的挑战。一方面，战争结束后出现了所谓的去纳粹化审判（类似于今天的真相法庭，如南非种族隔离制度解体后和卢旺达种族灭绝后的审判、海牙国际法庭的审判），在著名的纽伦堡审判中甚至对主要战犯判处并执行死刑；另一方面，在纳粹政权中发挥了重要作用的人，在战争结束后，有的还在距离战争或近或远的地方，继续从事类似的工作。

其中最著名的是巴登 – 符腾堡州的州长，他作为海军法官曾在 1943—1945 年建议并通过了四项死刑判决。见风使舵者也存在于文化领域中，尤其是在建筑和艺术界、学校，当然也存在于商界，他们无处不在。不言而喻，那些受影响的人对接受过去的事实不感兴趣，因此尽一切可能减缓这些必要进程。在战争或革命后发生大规模动荡的时刻，受影响的社会往往倾向于掩盖过去，甚至是近在眼前的过去。它需要旧的领导阶层继续发挥作用，因此要放弃对这些人的任何研究，其纳粹分子历史的生平只有在偶然的和有目的的追溯的情况下才会被揭露。我认识的一位教授就是在差不多 40 年后，也就是荣退后，才被发现和揭露其纳粹经历，由此引发了媒体的极大关注。通过这一公开事件，我们得以了解到权力和暴力之间特殊关系的考察过程。这位教授本身是位社会伦理学家，也得到了学界的高度评价，如果不是他的纳粹分子历史突然被曝光的话。

战后，德国花了很长时间，经历了无数个相互关联的反思和行动过程，才或多或少自我批判地正视这些不可理喻的事情。1965年，波兰天主教的主教们不顾自己教区的舆论，在一封给德国主教的信中给予他们宽恕，同时也请求对方的宽恕。德国的天主教主教们对此作出回复，请求波兰主教和信徒（占人口的95%以上）遗忘和宽恕。这一举动迈出了重要的一步，更重要的转折点发生在1970年，联邦德国总理维利·勃兰特在波兰首都华沙自发地下跪，因为80%的华沙土地曾在战争中被德军摧毁，此举引起全球的瞩目。

发动战争，往往出自瞬间的决定。然而，克服因战争引发和强化的敌意、治愈战争的创伤，尤其是进行对未来共存至关重要的和解进程，则常常需要几十年、上百年乃至更长时间。批判性的和平研究坚信，我们必须而且能够结束这种局面。战争既不是序曲也不是终章，而是一直被嵌入一个更全面的"和平"进程中。借助于其中蕴藏的潜力，战争不仅可以被遏制，甚至在不久的将来会被废除。"战争结束了！"尽管众说纷纭，但时代发展的迹象表明，战争终将废除，这是大势所趋。

主要参考文献

1. Backes, Uwe & Steffen Kailitz (Hrsg.), Sachsen-eine Hochburg des Rechtsextremismus?, Göttingen: Vandenhoeck & Ruprecht, 2020.

2. Baganz, Dorothée, Das historische Dresden. Bilder erzählen, Petersberg: Michael Imhof, 2006.

3. Bergander, Götz, Dresden im Luftkrieg. Vorgeschichte-Zerstörung-Folgen, Weimar-Köln-Wien: Böhlau, 2004 (auch als Sonderausgabe für Flechsig-Buchbetrieb, 2006), Erstaufla-ge ,1977.

4. Böttcher, Manfred Gerhart, Dresdens Tote. Die Totenzahlen der Luftangriffe auf Dresden am 13./14./15 Februar 1945. Vergleichende Studien-divergierende Ergebnisse, Frankfurt a.M.: R.G. Fischer, 2014.

5. Donath, Matthias, Architektur in Dresden 1933-1945, Dresden: Dresdener Verlagshaus Tech-nik, 2007.

6. Dresden-Memo (Spiel), Gedächtnisspiel mit Motiven aus Kunst und Architektur, Leipzig: E.A. Seemann, 2009.

7. Eckardt, Götz (Hrsg.), Schicksale deutscher Baudenkmale im Zweiten Weltkrieg. Eine Doku-mentation der Schäden und Totalverluste auf dem Gebiet der Deutschen Demokratischen Re-publik, Bände 1-2, München: Beck, 1978 (Berlin/DDR: Henschel, 1978).

8. Ellrich, Hartmut, Dresden 1933-1945. Der historische Reiseführer, Berlin: Ch. Links, 2008.

9. Evans, Richard J., Der Geschichtsfälscher. Holocaust und historische Wahrheit im David-Irving-Prozess, Frankfurt a.M.: Campus, 2001.

10. Friedrich, Jörg, Der Brand. Deutschland im Bombenkrieg 1940-1945, Berlin: Propyläen, 3. Aufl. 2002.

11. Fritze, Lothar, Die Moral des Bombenterrors. Alliierte Flächenbombardements im Zweiten Weltkrieg, München: Olzog, 2007.

12. Fritze, Lothar & Thomas Widera (Hrsg.), Alliierter Bombenkrieg. Das Beispiel Dresden, Göt-tingen: Vandenhoeck & Ruprecht, 2005.

13. Fromm, Erich, Anatomie der menschlichen Destruktivität, Stuttgart, 1974.

14. Grayling, Anthony C., Among the Dead Cities. Is the Targeting of Civilians in War

Ever Justified?, London: Bloomsbury, 2007 (Deutsche Ausgabe: Die toten Städte. Waren die alliierten Bombenangriffe Kriegsverbrechen?, München: Bertelsmann, 2007).

15. Gretzschel, Matthias, Als Dresden im Feuersturm versank, Hamburg: Ellert & Richter, 2004.

16. Gründig, Claudia, Dresden früher und heute, Köln: Komet, 2015.

17. Hädecke, Wolfgang, Dresden. Eine Geschichte von Glanz, Katastrophe und Aufbruch, München-Wien: Carl Hanser, 2006.

18. Harwardt, Darius, Verehrter Feind. Amerikabilder deutscher Rechtsintellektueller in der Bun-desrepublik, Frankfurt-New York: Campus, 2019.

19. Hippler, Thomas, Die Regierung des Himmels. Globalgeschichte des Luftkriegs, Berlin: Matthes & Seitz, Berlin, 2017.

20. Irving, David John Cawdell, Der Untergang Dresdens. Apokalypse 1945, Gütersloh 1963 (Arndt 2006); engl: Apocalypse 1945. The Destruction of Dresden, Indianapolis: Focal Point Publications (Eigenverlag des Autors), 2007.

21. Kempowski, Walter, Der rote Hahn. Dresden im Februar 1945, München: Goldmann, 2001.

22. Klemperer, Victor, Ich will Zeugnis ablegen bis zum letzten. Tagebücher 1933-1945, 2 Bände, Berlin: Aufbau Verlag, 1995.

23. Kraske, Michael, Der Riss. Wie die Radikalisierung im Osten unser Zusammenleben zerstört, Berlin: Ullstein, 2020.

24. Kurowski, Franz, Das Massaker von Dresden und der anglo-amerikanische Bombenterror 1944-1945, Berg: Druffel-Verlag, 1995.

25. Lerm, Matthias, Abschied vom alten Dresden. Verluste historischer Bausubstanz nach 1945, Rostock: Hinstorff, 2001.

26. Moeller, Katrin & Burghart Schmidt (Hrsg.), Realität und Mythos. Hexenverfolgung und Re-zeptionsgeschichte, Hamburg: DOBU, 2003.

27. Müller, Rolf-Dieter & Nicole Schönherr / Thomas Widera (Hrsg.), Die Zerstörung Dresdens 13. bis 15. Februar 1945: Gutachten und Ergebnisse der Dresdner Historikerkommission zur Ermittlung der Opferzahlen (Berichte und Studien), Gütersloh: Vandenhoeck und Ruprecht (unipress), 2010.

28. Neillands, Robin, Der Krieg der Bomber. Arthur Harris und die Bombenoffensive der Alliierten 1939-1945, Berlin: Quintessenz, 2002.

29. Neutzner, Michael & Jens Herrmann & Arend Zwicker (Hrsg.), Gravuren des Krieges-Mahndepots in Dresden. Ein Kunstprojekt zu Dresdner Erinnerungsorten an Nationalsozialis-mus, Krieg und Zerstörung, Altenburg: DZA-Verlag, 2006.

30. Overy, Richard, The Bombing War. Europe 1939-1945, London: Penguin, 2013 (dt.: Der Bombenkrieg. Europa 1939 bis 1945, Berlin: Rowohlt, 2014).

31. Peter, Richard, Dresden-eine Kamera klagt an, Dresden: Dresdener Verlagsgesellschaft, 1949.

32. Pommerin, Reiner (Hrsg.), Dresden unterm Hakenkreuz, Köln-Weimar-Wien: Böhlau, 1998.

33. Quinger, Heinz, Dresden und Umgebung. Geschichte und Kunst der sächsischen Hauptstadt, Köln: DuMont, 1993.

34. Rudolph, Wolfgang, Feuersturm unbändiger Macht. Erlebtes Inferno-Dresden 1945, Münster: Monsenstein & Vannerdat, 2015.

35. Sächsische Landeszentrale für politische Bildung (Hrsg.), Unauslöschlich. Erinnerungen an das Kriegsende 1945. Ein Lesebuch, Dresden 1995, Dresden: Meissner Druckhaus, 1995.

36. Schaarschmidt, Wolfgang, Dresden 1945. Daten-Fakten-Opfer, Ares Verlag, 2018.

37. Schmidt, Michael, Der Untergang des alten Dresden in der Bombennacht vom 13./14. Februar 1945 / The Destruction of Dresden in the Night of February, the 13./14. 1945, Dresden: Son-nenblumen-Verlag, 4. Aufl. 2005.

38. Schmitz, Walter, Die Zerstörung Dresdens. Antworten der Künste, Dresden: Thelem, 2005.

39. Scholl, Inge, Die Weiße Rose. Frankfurt a.M.: Fischer, 1955.

40. Seydewitz, Max, Die unbesiegbare Stadt. Zerstörung und Neuanfang von Dresden, Berlin: Kongress-Verlag, 3., verb. u. erw. Aufl. 1956.

41. Slawski, Wolfgang, Mein Stadt-Wimmelbuch Dresden, Potsdam: Willegoos, 3. Aufl. 2017.

42. Soukup, Franz & Ernst Wrba & Franziskus Kerssenbrock, Dresden. Stolze Barockstadt an der Elbe, München: Bruckmann, 2. Aufl. 2017.

43. Stadtmuseum Dresden (Hrsg.), Verbrannt bis zur Unkenntlichkeit. Die Zerstörung Dresdens 1945, Altenburg: DZA Verlag, 1994.

44. Starke, Holger & Uwe John (Hrsg. im Auftrag der Landeshauptstadt Dresden),

Geschichte der Stadt Dresden. Band 3: Von der Reichsgründung bis zur Gegenwart, Stuttgart: Theiss Verlag, 2006.

45. Süß, Dietmar (Hrsg.), Deutschland im Luftkrieg. Geschichte und Erinnerung, München: De Gruyter Oldenbourg, 2007.

46. Süß, Dietmar, Tod aus der Luft. Kriegsgesellschaft und Luftkrieg in Deutschland und England, München: Siedler, 2011.

47. Taylor, Frederick, Dresden. Tuesday, February 13, 1945, New York-London-Toronto-Sydney: Harper Perennial, 2005 (Deutsche Ausgabe: Dresden. Dienstag, 13. Februar 1945. Militärische Logik oder blanker Terror?, München: Bertelsmann, 2004).

48. Ulrich, Michael, Dresden-Nach der Synagoge brannte die Stadt. Dokumente, Berichte und persönliche Zeugnisse, Leipzig: Evangelische Verlagsanstalt, 2002.

译后记

无论哪一场战争都不会有最终决定权,但战争总是蠢蠢欲动,带来可怕的梦魇。在德累斯顿的历史中,著名的圣十字教堂一共被毁了五次,其中1491年和1897年两次被完全烧毁,循环往复:建设、破坏、再建设,和平、战争、再和平……不到两百年,七年战争中(1760年)被炸成废墟的教堂再次经历轰炸(1945年)。教堂被完全烧毁,1945—1955年再次经历重建。这该是最后一次了吧?难以想象,恶性循环持续,美丽的德累斯顿还要再经历这样的劫难。

我曾去过两次德累斯顿,惊叹这座有着巴洛克城美誉的壮丽宏伟。徜徉在老城和新城的大街小巷,我在绿荫下不知疲倦地呼吸着弥漫着历史的空气,当然,也少不了俗套地参观圣十字教堂、圣母大教堂、茨温格宫这些美得不真实的艺术圣殿。我站在被称为"欧洲阳台"的布吕尔平台上,眺望始建于13世纪的奥古斯都大桥,身边环绕着叽叽喳喳的各种语言和兴奋的脸庞;漫步在易北河畔,静静地聆听河水的流淌声,地上时不时出现绊脚石、警言牌,散落的铁制旧鞋子模型,皱巴巴的各式男鞋和女鞋,还有松了鞋带的童鞋,都在提醒着人们曾经发生在这里的一切反人类行为,不只是 1945 年惨烈的德累斯顿轰炸,更有纳粹党对犹太人等犯下的惨绝人寰的罪行。

回想起 2013 年夏天在德累斯顿游玩遇到的温馨场面。易北河畔有很多供游客歇息喝上一杯的露台酒吧,我们一家也坐下,点上一杯当地的啤酒。隔壁拼起来的两张长桌旁,一群德国人听到我们在用德语点单,热情地邀请我们过去聊天。他们是当地企业的员工,在参加工会组织的郊游,从易北河游船下来歇个脚。大家谈了什么,我已记不清了,但毫无芥蒂、不分你我的欢笑声至今记忆犹新。

陈　民

本书更多参考文献及图片来源信息详见